연세 한국어 3-2

연세대학교 한국어학당 편

연세대학교 대학출판문화원

연세 한국어 **3-2** (영어판)

편저자 연세대학교 한국어학당 교재편찬위원회
집필진 정희정·한상미·박혜란·유연희
발행 연세대학교 대학출판문화원

주소 서울시 서대문구 연세로 50
전화 02) 2123-3380~2
팩스 02) 2123-8673
ysup@yonsei.ac.kr
http://www.yonsei.ac.kr/press
등록 1955년 10월 13일 제9-60호
인쇄 네오프린텍(주)
본문 더그라프
삽화 디투웍스
녹음 (주)반도음반
성우 곽윤상·윤미나·전광주·홍소영

2013년 3월 5일 1판 1쇄   2019년 9월 25일 1판 9쇄
ISBN 978-89-97578-84-9(08710)
ISBN 978-89-97578-82-5(세트)

값 20,000원 (CD포함)

PREFACE

Having the highest reputation in the Korean Language Education for more than 50 years, the Korean Language Institute of Yonsei University Language Research and Education Center has compiled a huge amount of textbooks to enhance the quality of the Korean Language Education. Recently, the demand for the Korean language has been increased by foreigners around the world as well as Koreans living out of the nation. For this reason, the demand of the learners about textbooks has become diverse, too. Therefore, the Korean Language Institute of Yonsei University Language Research and Education Center publishes a new set of textbooks for the various learners to learn the Korean Language and Korean culture.

The textbooks published by the Korean Language Institute of Yonsei University Language Research and Education Center are classified into three parts: 'Yonsei Korean 1' and 'Yonsei Korean 2' for beginners, 'Yonsei Korean 3' and 'Yonsei Korean 4' for intermediates, and finally 'Yonsei Korean 5' and 'Yonsei Korean 6' are for advanced learners. Each book is composed to develop the communicative function which is required according to the capability of the Korean usage.

This set of 'Yonsei Korean' is an integrated textbook, made up of various kinds of tasks and activities as well as focused practices of vocabulary and grammar to enhance all of the four communicative skills like listening, speaking, reading and writing. Based on the interesting topics and situations, learners can learn Korean, performing a lot of communicative functions.

We believe that 'Yonsei Korean' is a very effective tool for all students aiming to increase their proficiency in Korean as a foreign language. We trust that it will be helpful to those who are both studying Korean at the Korean Language Institute of the Yonsei University Language Research and Education Center, as well as in many other locations overseas.

Yonsei University Language Research and Education Center
Korean Language Institute
Compilation Committee

일러두기

- '연세 한국어 3'은 한국어를 배우려는 외국인과 교포 성인 학습자를 위한 중급 단계의 책으로 내용은 총 10개의 과로 이루어져 있으며, 각 과는 5개의 항으로 이루어져 있다. '연세 한국어 3'은 중급 수준의 한국어 숙달도를 지닌 학습자가 꼭 알아야 할 주제를 중심으로 구성되었으며 이와 함께 필수적인 어휘와 문법, 문화와 사고방식을 소개함으로써 한국에 대한 이해를 넓히고자 하였다.

- 각 과의 앞에는 해당 과의 제목 아래에 각 항의 제목과 과제, 어휘, 문법, 문화를 제시하여 각 과에서 다룰 내용을 한 눈에 알아보기 쉽게 하였다. 그리고 매 과의 마지막 항은 복습 항으로, 그 과에서 다룬 내용을 종합적으로 복습할 수 있도록 하였다. 문화 부분은 각 과의 주제와 관련된 내용을 선정하여 다루었다.

- 각 과의 제목은 주제에 해당하는 명사로 제시하였으며, 각 항의 제목은 본문 대화 부분에 나오는 중요 문장으로 제시하였다.

- 각 항은 제목, 학습 목표, 삽화와 도입 질문, 본문 대화, 어휘, 문법 연습, 과제, 대화 번역문, 그리고 문법 설명의 순서로 구성되어 있다.

- 학습 목표에는 학습자들이 학습해야 할 의사소통적 과제와 어휘, 문법을 제시하였다.

- 도입 질문은 주제와 기능을 쉽게 이해할 수 있는 삽화와 함께 제시하여 학습자로 하여금 주제와 과제에 대한 흥미와 호기심을 가질 수 있도록 하였다.

- 본문 대화는 각 과의 주제와 관련된 가장 전형적이고 대표적인 대화 상황을 8명의 주요 인물의 일상생활을 중심으로 설정하고자 하였으며 각각 3개의 대화 쌍으로 구성하였다.

- 어휘는 각 과의 주제나 기능과 관련된 어휘 목록을 선정하여 제시하고 연습 문제를 통해 확인하도록 하였으며, 과제에 나오는 새 단어는 과제 밑에 번역을 붙였다. '한국어3'에서 새로 다룬 단어는 약 900여개이다.

- 문법 연습은 각 과에서 다루어야 할 핵심 문법 사항을 각 항마다 2개씩 추출하여 연습 문제의 형태로 제시하였다. 그리고 문법 설명 부분에서 해당 문법에 대해 학습자의 모국어로 설명하고 각각의 예문을 제시하였다.

- 과제는 학습 목표에서 제시한 의사소통 기능에 부합되는 것으로 각 항마다 2개를 제시하였다. 특히 과제 1은 각 항에서 다룬 주요 문법을 활용한 단순 활동으로, 과제 2는 각 항의 핵심 기능을 종합적으로 수행하는 통합 활동으로 구성하였다. 과제에서는 말하기, 듣기, 읽기, 쓰기의 네 기능을 적절히 제시하였다.

- 각 항의 마지막 부분에는 대화 번역문과 문법 설명을 제시하였다.

- 문화는 각 과의 끝 부분에 실었는데 각 과의 주제와 관련된 한국 문화를 학습자의 눈높이에 맞추어 쉽게 설명하는 방식으로 기술하였다. 또 자기 나라의 문화와 비교해 보거나 자신의 경우를 말하게 하는 등 비교문화적인 관점을 바탕으로 언어 학습 활동과 연계하도록 구성하여 그 내용이 문화적 지식에 그치지 않고 한국어 능력과 통합적으로 학습될 수 있도록 하였다.

- 색인에서는 각 과에서 다룬 문법과 어휘를 가나다 순으로 정리하였으며 해당 본문의 과와 항을 함께 제시하였다.

INTRODUCTION

- 'Yonsei Korean 3' is an intermediate level textbook for foreigners and adults overseas Koreans. It is composed of 10 units and each unit contains 5 lessons. Each unit covers topics which an intermediate-learner has to know. Its goal is to deepen the understanding about Korea through introducing essential vocabulary and grammar, as well as the Korean culture and the Korean way of thinking.

- In the beginning of each unit, under the title, we indicate each chapter's title, task, vocabulary, grammar and cultural topics so that the learners can have a good grasp of what is to be studied. The last lesson of each unit is a 'Let's Review' section where the learners can review what was dealt with in the unit. In the 'Culture' section, topics related to each unit are presented.

- The title of each unit is shown as a noun which is related to the covered topic, and the title of each lesson is a topic sentence from the dialogue.

- Each lesson is composed in the order of the title, study objectives, illustration and introductory questions, main dialogue, vocabulary, grammar exercises, task, dialogue translation and the explanation of the grammar.

- The study objectives of each unit indicate what the learners have to study regarding the communicative task, vocabulary and grammar.

- The introductory questions are presented along with the illustrations, which help the learners increase the interests and the motivation to the topics and tasks of each unit.

- For the main dialogues, we strove to choose the most typical and representative situations which are related to the topic of the unit and to make dialogues comprised from the everyday life of eight main characters. Dialogues of each lesson are composed of three question-and -answer sets.

- For the vocabulary, we picked the words which are related to each unit's topic and function and helped the learners test their vocabulary through practice questions. New words from the 'Task' section in each lesson are translated at the bottom of each section. The amount of vocabulary covered in 'Korean 3' is approximately 900 words.

- In 'Grammar Practice', two crucial new grammatical forms from each lesson are presented in the form of exercises. In the grammar explanation part, the relevant grammar is explained in the learner's native language with examples.

- The 'Task' section is composed of activities that are adequate for each lesson's communicative objectives. Two related activities are presented for each lesson. Task 1 is to elicit the actual usage of the core grammars through activities related to the functions. Task 2 is composed of overall exercises of core functions in each lesson.In the 'Task' section,language skills - speaking, listening, reading and writing are appropriately presented.

- At the end of each chapter the English translation of the dialogue and grammar explanations are presented.

- The 'Culture' section is at the end of each unit with a simple explanation about the Korean culture which was covered in the unit. There are also activities for the learners to compare the culture of their country with that of Korea, and to speak their own instances from their own cultural perspectives.The goal of this section is to combine cultural knowledge with the newly learnt language ability so that students practice it as a combined skill.

- In the index, the grammar and vocabulary of each unit are organised in alphabetical order (가나다 order), and the applicable passages of the unit and the lesson are also indicated.

차례

3-1

3-2

CONTENTS

3-1

3-2

	제목	소제목	과제	어휘	문법	문화
06	모임 문화	할머니께 인사부터 드리고요	가족 행사 참여하기	가족 행사 관련 어휘	-어다가 이라도	모임 문화
		너한테 안부 전해 달래	안부 전하기	안부 관련 어휘	-더라 -다니요?	
		신입생 환영회가 있는데 오실 수 있지요?	환영 모임에 초대하기	신입생 환영 모임 관련 어휘	-고 나서 -지	
		간단하게 차나 마시지요	회식 모임에 참석하기	직장 생활 모임 관련 어휘	-는다니까 -지요	
07	실수와 사과	숙제를 낸다는 것이 일기장을 냈어요	실수에 대해 이야기하기	실수 관련 어휘	-는다는 것이 -을까 봐	문화 충격과 실수
		하숙집 친구들은 가족 같은 사이잖아요	문화 충격 경험 이야기하기	한국 생활 예절 관련 어휘	-어 버리다 -잖아요	
		오히려 제가 미안한데요	사과하기	사과 관련 어휘	-고 해서 -지 그래요?	
		다른 방법으로 미안함을 표현하기도 해요	사과 경험 이야기하기	이해 관련 어휘	-고도 -단 말이에요?	
08	학교 생활	같이 의논해 보도록 하자	야유회 계획하기	야유회 관련 어휘	-으면서도 -도록 하다	한국의 학교
		우리 언어 교환 할까요?	언어 교환 일정 짜기	언어 교환 관련 어휘	어찌나 -는지 -고 말다	
		친한 친구한테는 말할지도 모르잖아요	고민 말하기	고민·걱정 관련 어휘	-고는 -을지도 모르다	
		한국 대학교에 입학하고 싶은데요	상담하기	상담 관련 어휘	-으면 되다 -이라서	
09	부탁과 거절	미안하지만 음료수 좀 부탁해도 될까?	부탁하기 Ⅰ	부탁 관련 어휘 1	-기는요 -느라고	언어 예절
		사진 좀 찍어 주실 수 있으세요?	부탁하기 Ⅱ	부탁 관련 어휘 2	담화 표지 -게	
		어떻게 하지요? 어려울 것 같은데요	거절하기 Ⅰ	거절 관련 어휘 1	-다니 -게 하다	
		좀 곤란할 것 같은데요	거절하기 Ⅱ	거절 관련 어휘 2	-는다지요? -을 건가요?	
10	어제와 오늘	영화를 보러 가곤 했어요	과거 회상하기	시간 관련 어휘	-다가도 -곤 하다	한강의 과거와 현재
		10년 전에는 어땠는데요?	현재와 과거 비교하기	비교 관련 어휘	전만 해도 -는다고 할 수 있다	
		한국에 오지 않았다면 어땠을까요?	가정 표현하기	추측 관련 어휘	-었다면 -었을 것이다	
		집안일은 물론 아이를 돌보기까지 한대요	미래 예측하기	미래 생활 관련 어휘	-듯이 은 물론	

CONTENTS MAP

	Topic	Title	Task	Vocabulary	Grammar and Patterns	Culture
06	Culture of Gathering Together	I will greet grandmother first	Participating family events	vocabulary about family events	—어다가 이라도	Culture of Gathering Together
		She asked me to pass her regards	Passing someone's regards	vocabulary about regards	—더라 —다니요?	
		There is a welcoming party for freshmen. You are coming, aren't you?	Inviting to a welcoming party	vocabulary about a welcoming party for freshman	—고 나서 —지	
		Why don't you just have a quick cup of tea or something?	Attending a meeting	vocabulary about meetings at work	—는다니까 —지요	
07	Mistakes and Apologies	I submitted my diary instead of my homework by mistake.	Talking about someone's mistakes	vocabulary about mistakes	—는다는 것이 —을까 봐	Culture Shock and Mistakes
		Boarding house friends are like a family, you know.	Talking about culture shock experiences	vocabulary about etiquette in Korean life	—어 버리다 —잖아요	
		Rather I feel sorry.	Apologizing	vocabulary about apologies 1	—고 해서 —지 그래요?	
		We also express apology in different ways.	Talking about an experience of apology	vocabulary about apologies 2	—고도 —는단 말이에요?	
08	School Life	Let's talk about it together	Planning for an outdoor picnics	vocabulary about picnics	—으면서도 —도록 하다	Schools in Korea
		Shall we exchange languages?	Organizing language exchanges	vocabulary about language exchange	어찌나 —는지 —고 말다	
		You never know if she is would talk about it to a close friend.	Telling one's worries	vocabulary about worries or problems	—고는 —을지도 모르다.	
		I want to go to a University in Korea.	Counselling	vocabulary about counselling	—으면 되다 —이라서	
09	Asking and Rejecting Favours	I am sorry, but would you mind buying me a drink?	Asking for a favor 1	vocabulary about asking favors 1	—기는요 —느라고	Language Etiquette
		Could you please take a photo for me?	Asking for a favor 2	vocabulary about asking favors 2	담화 표지 —게	
		What should I do? I'm afraid it would be difficult for me.	Rejecting 1	vocabulary about rejections 1	—다니 —게 하다	
		It might be a bit difficult for me.	Rejecting 2	vocabulary about rejections 2	—는다지요? —을 건가요?	
10	Yesterday and Today	It might be a bit difficult for me.	Remembering the past	vocabulary about the time	—다가도 —곤 하다	The Past and Present of the Han River
		What was it like 10 years ago?	Comparing the present and the past	vocabulary about comparisons	전만 해도 —는다고 할 수 있다	
		What would have happened if you didn't come to Korea?	Expressing hypothesis	vocabulary about assumptions	—었다면 —었을 것이다	
		Not only does it do the household, but it also even looks after the children	Predicting the future	vocabulary about future life	—듯이 은 물론	

제6과 모임 문화

01 할머니께 인사부터 드리고요

학습 목표 ● 과제 가족 행사 참여하기 ● 문법 −어다가, 이라도 ● 어휘 가족 행사 관련 어휘

영수가 어디에 갔습니까?

여러분 나라에서는 언제 가족들이 모입니까?

🔊 CD2:01~02

큰어머니 어서 와라. 오는데 힘들었지?

영수 아니에요, 큰어머니. 그동안 안녕하셨어요?

잔치 준비로 고생하셨지요?

큰어머니 아니다. 고생은 무슨. 그런데 배 고프지 않니?

빈대떡이라도 좀 먹을래?

영수 우선 할머니께 인사부터 드리고요. 지금 방에 계시지요?

큰어머니 응, 그럼 네가 이 빈대떡 좀 할머니께 가져다 드릴래?

안 그래도 지금 갖다가 드리려던 참이었거든.

영수 네, 주세요. 제가 갖다가 드릴게요.

잔치
feast

고생하다
to go through
trouble

빈대떡
a mung-bean
pancake

안 그래도
to be about to
do something
(even if it was
not like that)

· 어휘

01 [보기]에서 알맞은 어휘를 골라 빈칸에 쓰십시오.

만 60세 생신에
하는 잔치,
할머니, 할아버지,
술잔 올리기, 국수

회갑 잔치

새로 이사 간 집에서
하는 모임,
비누, 세제, 두루마리
휴지

남자와 여자가
부부가 되는 의식,
신랑, 신부,
청첩장, 축의금

[보기] 회갑 잔치
돌잔치
집들이
결혼식
차례

설날이나 추석 등
명절날 아침에
하는 행사,
조상, 떡, 송편

아기의 첫 번째
생일에 하는 행사,
돌잡이, 실, 붓, 쌀

02 빈칸에 알맞은 어휘를 쓰십시오.

1) 청첩장은 받았지만 출장 때문에 _____결혼식_____ 에 가지 못했다.

2) 얼마 전에 결혼한 친구의 _____ 에 비누와 휴지를 사 갔다.

3) 우리 할아버지가 만 60세가 되셔서 _____ 을/를 하려고 한다.

4) 한국에서는 아기 _____ 에 갈 때는 금반지를 사 가지고 간다고 한다.

5) 추석날 아침에 음식을 차려 놓고 조상님께 감사하는 마음으로 _____ 을/를
지냈다.

문법 연습

-어다가/아다가/여다가

01 여러분은 지난 주말에 무엇을 하셨습니까? 표를 채우고 다음과 같이 문장을 만드십시오.

	어디에 갔어요?	무엇을 했어요?	그것을 가지고 어디에 가서 뭘 했어요?
1)	빵집	빵을 샀어요.	집에 가서 샌드위치를 만들었어요.
2)	비디오 가게	비디오를 빌렸어요.	집에 가서 친구들하고 같이 봤어요.
3)	도자기 전시회	도자기를 만들었어요.	
4)	시장		

1) 빵집에서 빵을 사다가 샌드위치를 만들었어요.

2) _____

3) _____

4) _____

이라도/라도

다음과 같은 상황에 있는 친구에게 여러분은 어떤 제안을 하시겠습니까? 표를 채우고 다음과 같이 쓰십시오.

	친구의 상황	여러분의 제안
1)	점심을 먹고 싶은데 시간이 별로 없다.	우유를 드세요.
2)	약속 시간까지 시간이 많이 남았는데 할 일이 없다.	
3)	일 때문에 친구 생일 파티에 못 간다.	
4)	감기가 너무 심한데 병원에 갈 시간이 없다.	

1) 점심을 드실 시간이 없으면 우유라도 드세요.

2)

3)

4)

과제 1 말하기

다음은 어머니의 회갑 잔치를 위해 준비할 것들입니다. 여러분은 가족 모임을 할 때 어떤 것을 준비합니까? [보기]와 같이 표를 채우고 이야기해 봅시다.

[보기]

살 것	☑ 고기
	☐ 과일 – 언니
찾을 것	☑ 떡
	☐ 꽃바구니 – 언니
빌릴 것	☑ 비디오카메라
	☐ 여자 한복 – 언니
만들 것	☐ 갈비찜
	☐ 잡채 – 언니
가져갈 것	☑ 사진기
	☑ 생신 선물

[내가 할 일]

- 고기를 **사다가** 갈비찜을 한다.
- 떡을 **찾아다가** 식구들과 나눠 먹는다.
- 비디오카메라를 **빌려다가** 조카에게 전해 준다.
- 사진기를 **가져다가** 사진을 찍는다.
- 생신 선물을 **사다가** 어머니께 드린다.

가족 모임 : ....

〈**내가 할 일**〉

살 것	
찾을 것	
빌릴 것	
만들 것	
가져갈 것	

과제 2   듣고 말하기 [CD2:03] ●

01 대화를 듣고 질문에 답하십시오.

1) 무엇에 대한 이야기입니까? (　　　　)

❶ 부모님의 취향　　　　　　　❷ 돌잔치 방문 예절

❸ 과장님의 가족　　　　　　　❹ 아기에게 필요한 물건

2) 제임스 씨는 아기 돌잔치에 무엇을 가지고 갈 것 같습니까? (　　　　)

❶ 옷　　　　　　　　　　　　❷ 신발

❸ 금반지　　　　　　　　　　❹ 돈

3) 돌잔치에 가서 하는 인사로 **적당하지 않은 것**을 고르십시오. (　　　　)

❶ 아기 참 잘 생겼네요.　　　　❷ 건강하게 자라라.

❸ 오래오래 사시기 바랍니다.　　❹ 축하합니다. 아기가 아주 예쁘네요.

02 여러분 나라의 가족 행사에 대해 다음 표를 채우고 이야기해 봅시다.

가족 행사 이름	
언제 합니까?	
어디에서 합니까?	
누구를 초대합니까?	
무엇을 먹습니까?	
무엇을 합니까?	
기타	

과장님 the head of a department　**취향** taste　**덕분에** thanks to N　**실수하다** to make a mistake

Dialogue

Aunt	Please, come in. Wasn't it difficult to get here?
Yeongsu	No, it wasn't. Aunt, how have you been? It took much efforts to prepare this feast, right?
Aunt	No, it was ok. By the way, aren't you hungry? Do you want something to eat?
Yeongsu	I will greet grandmother first. Is she in her room?
Aunt	Yes, can you please take her some mung-bean pancakes then? I was about to do that.
Yeongsu	Yes, sure. Please give it to me. I will take it to her.

문법
설명

01 –어다가/아다가/여다가

After an action is done, the following action will be done on the basis of the first action's result.

- 친구에게 책을 가져다가 주었다. I took the book, and then gave it to my friend.
- 은행에서 돈을 찾아다가 책을 샀다. I withdrew money from the bank, and then bought a book (with that money).
- 꽃을 꺾어다가 꽃병에 꽂았다. I picked a flower and then put it into a vase.
- 김밥을 사다가 공원에서 친구들과 맛있게 먹었다. I bought some kimbap and then ate it with my friends in the park.

02 이라도/라도

It is used when there is nothing favorable, and only the second best choice can be selected. After nouns with consonant-endings '이라도' is used and after nouns with vowel-endings '라도' is used.

- 녹차가 없는데 커피라도 드시겠어요?

  Do you want to drink coffee or something since we ran out of green tea?

- 파란색 볼펜이 없으면 빨간색 볼펜이라도 주세요.

  Please give me a red pen or something since you don't have a blue one.

- 심심한데 음악이라도 듣자.

  Let's listen to music or something since we are bored.

- 시간이 있으면 영화라도 볼까요?

  Shall we watch a movie or something if we have time?

02 너한테 안부 전해 달래

학습 목표 ● 과제 안부 전하기 ● 문법 −더라, −다니요? ● 어휘 안부 관련 어휘

이 사람들은 지금 무엇을 하고 있습니까?
여러분은 동창들과 자주 연락을 합니까?

CD2:04~05

친구	야, 오래간만이다. 동창회 때나 네 얼굴을 보는구나. 우리 얼마만이지?
민철	학교 졸업하고서 처음이니까 한 삼 년쯤 되나? 요즘 어떻게 지내?
친구	대학원에 가려고 준비 중이야.
민철	힘들겠구나. 그런데, 정희가 안 보이네.
친구	아까 연락이 왔는데 오늘 못 온다고 하더라. 너한테 안부 전해 달래.
민철	못 오다니? 난 정희 보려고 왔는데.

야
Hey

준비 중이다
to be in
preparation

아까
a while ago

안부
regards

194

어휘

01 [보기]에서 적절한 표현을 골라 빈칸에 쓰십시오.

[보기] 안부를 전하다   안부를 묻다   안부가 궁금하다   안부 전화를 하다
　　　 안부 편지를 쓰다   안부 문자를 보내다   안부 인사를 드리다

❶ 마리아 – 안부 전화를 하다

❷ 고향 친구 –

❸ 제임스 –

❹ 웨이 부모님 –

02 빈칸에 알맞은 어휘를 쓰십시오.

　며칠 전 사진을 정리하다가 예전에 학교 다니던 때가 생각났다. 갑자기 정 선생님의 1)안부가 궁금해서 ~~어서/아서~~/여서 정 선생님께 2) ＿＿＿＿＿＿＿＿＿ 었다/았다/였다. 선생님과 전화로 이런저런 이야기를 하고 한 선생님께도 3) ＿＿＿＿＿＿＿＿ 어/아/여 달라고 부탁을 했다. 며칠 뒤에 한 선생님한테서 4) ＿＿＿＿＿＿＿＿ 는/은/ㄴ 안부 편지가 왔다. 그래서 다음 주에는 친구들과 같이 선생님들께 5) ＿＿＿＿＿＿＿＿ 으러/러 학교에 갈까 한다.

문법 연습

01

─더라

여러분은 어제 영수 씨 여자 친구를 만났습니다. 영수 씨 여자 친구에 대해 친구에게 이야기할 것을 쓰십시오.

어제 길에서 영수 씨 여자 친구를 만났는데,

1) 웃는 얼굴이 예쁘더라. _____

2) 얼굴은 _____

3) 눈이 _____

4) 생각보다 키가 _____

−다니요?/이라니요?

02 다음 그림을 보고 대화를 완성하십시오.

❶

다음 주에 시험······

선생님 : 여러분 시험공부 다 했지요?
오늘 10시에 시험 볼 거예요.

마리아 : 오늘 시험을 보다니요?
시험은 다음 주 아니에요?

❷

마리아 : 웨이 씨, 7시 10분인데 왜 안 와요?
웨　이 : 오늘 모임은 취소되었어요. 몰랐어요?
마리아 : _____

❸

리　에 : 마리아 씨, 생일 축하해요.
마리아 : _____
제 생일은 다음 달이에요.

❹

올가는 고향에서
잘 지내고 있을 거야.

마리아 : 여보세요? 올가? 잘 지내고 있지?
올　가 : 응, 마리아. 오랜만이야.
나 얼마 전에 사고가 나서 병원에
입원했어.
마리아 : _____

과제 1 말하기 ●

고향에 다녀온 누나에게 가족과 친구의 안부를 묻습니다. 표를 채우고 [보기]와 같이
옆 친구와 이야기해 봅시다.

알고 싶은 것	누나의 대답
가족들이 모두 건강해요?	모두 건강하신데 할아버지께서 조금 편찮으셨다.
친구들에게 별일 없나요?	제인 씨가 일본으로 유학을 갔다.
고향에 특별한 소식은 없나요?	집 앞에 커다란 백화점이 생겼다.

[보기]

나　　：잘 다녀왔어? 부모님도 건강하시지?

누나：응, 모두 건강하신데, 내가 갔을 때 할아버지께서 조금 **편찮으시더라.**

나　　：**편찮으시다니?**

누나：감기에 걸리셨대. 그렇게 심하지 않으니까 걱정하지마.

나　　：친구들도 잘 있고?

누나：응, 그런데 제인이 일본으로 유학을 **갔더라.**

나　　：제인이 유학을 **가다니?**

누나：제인이 남자 친구가 생겼는데 일본 사람이래. 그래서 남자 친구도 보고
　　　 일본어도 배우러 일본으로 유학을 갔대.

나　　：우와, 축하할 일이네.

누나：참, 우리 집 앞에 큰 백화점이 **생겼더라.** 예쁜 물건도 많고 비싸지 않아서
　　　 쇼핑할 만하더라.

나　　：아, 그래? 나도 빨리 고향에 가고 싶다.

알고 싶은 것	친구의 대답

과제 2 읽고 쓰기

01 다음을 읽고 질문에 답하십시오.

요즘엔 생일이나 기념일이 되면 통신 회사에서 문자를 무료로 주는 서비스가 있다. 나도 지난달에 생일이어서 무료 문자를 30건 받았다. 평소에 10개도 안 보냈지만 이번엔 아까워서 오랫동안 연락이 안 됐던 사람들한테 안부 문자를 보내기로 했다. 문자를 보낸 시간이 점심시간 직후라서 그런지, 대부분이 답장을 보내거나 직접 전화를 걸어왔다. 친구들은 굉장히 반가워했다. 어떤 친구는 결혼하냐는 질문을 했고 어떤 친구는 언제 한잔 하자는 말로 전화를 끊었다. '언제 한잔'이라는 약속이 지켜질지는 잘 모르겠다. 그렇지만 이런 식으로라도 친구들 생각을 하게 돼서 꽤 기분이 좋았다. 언젠가 내가 진짜로 결혼할 때 다시 연락해도 훨씬 덜 미안할 것 같다.

1) 안부 문자를 보낸 이유로 적절한 것을 고르십시오. (   )

❶ 결혼 소식을 전하기 위해   ❷ 휴대 전화를 바꾸게 돼서

❸ 친구와 술 한잔하고 싶어서   ❹ 무료 문자가 생겼는데 친구들 생각이 나서

2) 안부 문자를 받은 사람들의 대답이 **아닌 것**을 고르십시오. (   )

❶ "너 결혼하냐?"   ❷ "결혼식 때 보자."

❸ "야, 반갑다. 이게 얼마만이니?" ❹ "야, 우리 만나서 술 한잔하자."

3) 이 사람은 어떤 내용의 안부 문자를 보냈을까요?

02

부모님께 쓰는 안부 편지에는 어떤 내용이 있을까요? 아래에 들어갈 내용을 쓰고
안부 편지를 써 봅시다.

❶ 부모님의 건강 질문

❷ 내 안부

❸ 그 밖의 궁금한 내용 : ....

부모님께
그동안 안녕하셨어요? 저는 여기서 잘 지내고 있답니다.

다음에 또 연락 드리겠습니다. 안녕히 계십시오.

년   월   일
올림

아깝다 to be wasteful   **직후** immediately   **식** in (a certain) way

Dialogue

Friend   Hey, long time no see. It's only at the reunion that I can see you.How long has it been?

Mincheol   This is the first time after graduation, so has it been around three years since then? How have you been lately?

Friend   I am preparing for graduate school.

Mincheol   It must be hard. By the way, I can't see Jeonghee around.

Friend   She called me a while ago saying she cannot come today. She asked me to give her regards to you.

Mincheol   Oh, she is not coming? I came here to see her.

문법
설명

01 -더라

It is used when the speaker talks about a previous experience or tells a felt fact to close people or people who are lower in the hierarchy. It is not used to describe the speaker's own action. It is attached to verb stems.

• 가 : 학교 앞 식당에 가 봤지? 어때?   A: Have you been to the restaurant in front of the school? How is it?

  나 : 맛도 좋고 값도 싸더라.   B: The food was delicious and the prices were reasonable (as I recall).

- 가 : 어제 콘서트에 갔다면서?   A: I heard you went to a concert yesterday?

  나 : 응, 그런데 사람이 진짜 많더라.   B: Yes, but there were a lot of people (as I recall).

- 가 : 리에 씨 못 봤어?   A: Haven't you seen Rie?

  나 : 약속이 있다고 급히 나가더라.   B: I saw her rushing off out of the office, saying that she had an appointment.

- 가 : 어제 모임에 누가 왔어?   A: Who came to the meeting yesterday?

  나 : 어제 마리아 씨가 동생을 데리고 왔더라.   B: Maria brought her younger sibling yesterday (as I recall).

02   -다니요?/이라니요?

This expression is used when one cannot believe the statement of the conversation partner or when one denies the statement. It is attached to verb stems. After action verbs or descriptive verbs '-다니요' is used, after nouns with consonant-endings '이라니요' is used, after nouns with vowel-endings '라니요' is used. When talking to close people or people who are lower in hierarchy '-다니' or '이라니' can be also used.

- 가 : 어제 영화 재미있었어요?   A: Was the movie fun yesterday?

  나 : 영화라니요? 무슨 영화요?   B: Movie? What movie?

- 가 : 내일 시험 잘 보세요.   A: Good luck on your test tomorrow.

  나 : 시험이라니요? 내일 시험 있어요?   B: Test? Is there a test tomorrow?

- 가 : 웨이 씨가 많이 아프대요.   A: I heard that Wei is very sick.

  나 : 웨이 씨가 아프다니요? 아침에 통화했을 때는 괜찮았는데요.   B: Wei is sick? When I talked to him this morning he was ok.

- 가 : 마리아 씨가 장학금을 받았다면서요?   A: I heard that Maria has received a scholarship.

  나 : 마리아 씨가 받다니요? 전 리에 씨가 받았다고 들었는데요.   B: Maria has received a scholarship? I heard that Rie has received one.

03 신입생 환영회가 있는데 오실 수 있지요?

학습 목표 ● 과제 환영 모임에 초대하기 ● 문법 −고 나서, −지 ● 어휘 신입생 환영 모임 관련 어휘

이 사람들은 무엇을 하려고 합니까?
여러분은 신입생 환영회에 가 본 일이 있습니까?

CD2:06~07

오랜만이다
long time no
see

신입생
freshman

오리엔테이션
orientation

곡
a counting
unit for songs

선배	민수야, 오랜만이다. 웬일이야?
민수	이번 금요일에 신입생 환영회가 있는데 선배님 오실 수 있지요?
선배	이번 금요일? 몇 시에 시작하는데?
민수	4시에 오리엔테이션을 할 거래요.
	오리엔테이션이 끝나고 나서 환영회를 하니까 6시까지 오세요.
선배	좀 일찍 연락하지. 저녁 약속이 있는데 좀 늦게 가도 될까?
민수	늦게라도 꼭 오세요.
	뒤풀이로 노래방에 갈 거니까 노래도 한 곡 준비해 오시고요.

어휘

01 [보기]에서 알맞은 어휘를 골라 빈칸에 쓰십시오.

[보기]	신입생 환영회	오리엔테이션	회비	
	뒤풀이	새내기	선배	후배

새로 입학한 학생을 환영하는 모임	**신입생 환영회**
학교나 직장에 먼저 들어 온 사람	
직장이나 학교에 새로 들어온 사람	
어떤 일이나 모임을 끝낸 뒤에 서로 모여 즐기는 일	
모임의 활동을 위해서 그 모임에 참여하는 사람들이 내는 돈	
신입 사원이나 신입생들에게 직장이나 학교에서 해 주는 안내나 교육	

02 빈칸에 알맞은 어휘를 쓰십시오.

이번에 입학하신 ❶_____ 여러분!
여러분을 위한 ❷_____ 이/가 2월
22일 오후 3시에 있습니다.
여러분의 학교 생활에 도움을 줄
❸_____ 와/과 만날 수 있는 기
회이니까 꼭 참석하세요. 신입생
은 ❹_____ 이/가 없으니까 그
냥 오세요. 늦게 오실 분은 ❺_____
_____ 장소로 오십시오.

❶ _____ 새내기 _____

❷ _____

❸ _____

❹ _____

❺ _____

문법 연습

-고 나서

01 여러분은 어떤 순서로 다음의 일을 하십니까? 순서에 맞게 기호를 쓰고, '-고 나서'를 사용해 다음과 같이 쓰십시오.

빨래하기	라면 끓이기
가) 세제를 넣는다. 나) 흰 옷과 색깔 옷을 구별한다. 다) 세탁기 전원을 켠다. 라) 빨래할 옷을 세탁기에 넣는다.	가) 라면을 넣는다. 나) 스프를 넣는다. 다) 물을 끓인다. 라) 계란과 파를 넣는다.
(나) → (라) → (가) → ( )	( ) → ( ) → ( ) → ( )
흰 옷과 색깔 옷을 구별하고 나서 빨래할 옷을 세탁기에 넣어요. → 세탁기에 넣고 나서 →	→ →

–지

02 다음 글을 읽고 '–지'를 사용하여 글 쓴 사람의 생각을 쓰십시오.

오늘 아침에는 일어나기가 무척 힘들었다. 자명종이 30분 동안이나 울렸지만 **1)동생은 깨워 주지도 않고** 먼저 학교에 가 버렸다. 학교에 도착하니까 9시 55분이었다. 늦게 일어나서 아침도 먹지 못했는데 옆 친구가 김밥을 먹으니까 너무 맛있어 보였다. **2)친구는 먹어 보라는 말도 없이 혼자 다 먹었다.** 쉬는 시간에 화장실에 다녀왔는데 교실에 아무도 없었다. 칠판에는 '대강당으로'라고 쓰여 있었다. **3)나를 기다려 주는 친구가 한 명도 없다**고 생각을 하니까 갑자기 너무 외로워졌다. 고향에 있는 친구들이 생각이 났다. 방학에 꼭 놀러오겠다고 했는데 **4)아직 소식이 없다.** 오늘 집에 돌아가면 전화를 해 봐야겠다.

1) 좀 깨워 주지.

2)

3)

4)

과제 1   쓰기

모임을 하려고 합니다. 어떤 준비를, 어떤 순서로 할지 [보기]와 같이 써 봅시다.

[보기] **신입생 환영회 준비**

가) 신입생 환영회 날짜 잡기

나) 환영회장(식당) 예약

다) 전화나 전자 메일로 시간 · 장소 알리기

라) 참석 여부 확인

마) 식당에 전화로 인원수 확인해 주기

바) 신입생 환영회 하기

이번에 입학한 신입생들을 축하하기 위해 신입생 환영회를 준비하려고 한다.

- 제일 먼저 신입생 환영회 날짜를 **잡고 나서** 장소를 예약한다.
- 장소를 **예약하고 나서** 사람들에게 시간과 장소를 알린다.
- 참석 여부를 **확인하고 나서** 식당에 전화를 걸어 **인원수**를 확인해 준다.

가)

나)

다)

라)

마)

바)

_____ 기 위해

_____ 을/를 준비하려고 한다.

-

-

-

여부 yes or no

과제 2 듣고 말하기 [CD2:08]

01 대화를 듣고 질문에 답하십시오.

1) 무엇에 대한 이야기입니까? （   ）

❶ 졸업생 환송회　　　　　　　❷ 신입생 환영회

❸ 신입생 오리엔테이션　　　　❹ 동아리 모임

2) 이 사람들은 언제, 어디에서 만납니까? 쓰십시오.

3) 이 모임에서 하는 일로 **적당하지 않은 것**을 고르십시오. （   ）

❶ 선배들의 이야기를 듣는다.

❷ 새내기들의 소개를 한다.

❸ 선배들의 일을 돕는다.

❹ 맛있는 음식을 먹고 논다.

02 여러분의 나라에서도 학교에서 신입생 환영회를 합니까? 다음 표를 채우고 한국과 비교해서 이야기해 봅시다.

	한국	여러분 나라
그 모임을 뭐라고 부릅니까?	신입생 환영회	
주로 언제 합니까?	2~3월	
주로 어디에서 합니까?	학교 근처의 식당이나 대학교 건물 내	
누가 옵니까?	신입생, 선배, 졸업생 등	
무엇을 합니까?	●선후배를 서로 소개하고, 이야기를 나눈다. ●술이나 음료를 마시거나 음식을 먹는다. ●노래나 장기 자랑 등을 하면서 즐겁게 논다.	
특징	●다른 때에 비해 술을 많이 권하고 마시는 편인 것 같다.	

일단 first　　**그냥** just　　**장기 자랑** talent show

Dialogue

Senior: Minsoo, long time no see. What's up?

Minsu: There is a welcoming party for freshmen this weekend. You are also coming, aren't you?

Senior: This weekend? What time is it going to start?

Minsu: They say that the orientation starts at 4 pm. After the orientation, the welcoming party will start, so please come no later than 6 pm.

Senior: You should have called me a bit earlier then. I'm meeting someone for dinner. Is it okay if I come a little late?

Minsu: Please attend the party even if you are late. We will go to a Karaoke bar afterwards, so please prepare a song, too.

문법 설명

01 -고 나서

It is used when one action follows after another. It is attached to verb stems and when the verbs '가다, 오다' are used, the subjects of the first and ending clause of the sentence are different.

- 저녁을 먹고 나서 회의를 하기로 했다.
  We have decided to have the meeting after dinner.
- 운동을 하고 나서 마시는 맥주가 최고로 맛있다.
  It's best to drink beer after working-out.
- 그 사람은 그 편지를 읽고 나서 한참이나 말이 없었다.
  The person didn't say anything for a while after he/she read that letter.
- 미선 씨가 오고 나서 제임스 씨가 왔다.
  After Miseon came, James came.

02 −지

This expression is used when one talks to close people or people who are lower in hierarchy about the things they haven't done, but should better do. For actions which are done but shouldn't have, '−지 말지' is used. It is attached to verb stems.

- 이 근처까지 왔으면 우리집에 들렀다 가지.

  You should have dropped by our house when you came to our neighborhood.

- 어른들 앞에서는 좀 참지.

  You should have hold on to it in front the seniors.

- 선생님께 내 안부도 좀 전해 주지.

  You should have given the teacher my regards.

- 오늘 같은 날은 정장 좀 입지.

  You should have worn a suit on a day like today.

04 간단하게 차나 마시지요

학습 목표 ● 과제 회식 모임에 참석하기 ● 문법 −는다니까, −지요 어휘 직장 생활 모임 관련 어휘

이 사람들은 무엇을 하려고 합니까?
여러분은 어떤 모임에 가 본 일이 있습니까?

슬슬
slowly

회식
office dinner

참석하다
to attend

잔뜩
highly

기대하다
to expect

2차
2nd round

CD2:09~10

과장 　자, 슬슬 정리들 하시지요. 오늘 회식에 모두들 참석하시지요?

웨이 　그럼요. 잔뜩 기대하고 있는데요. 식사하고 나서 2차도 있어요?

과장 　2차는 노래방에 갈까 하는데 다들 어때요?

웨이 　어떻게 하지요? 저는 목이 쉬어서 노래는 못 할 것 같은데요.

과장 　웨이 씨가 목이 아프다니까 2차는 간단하게 차나 마시지요.

웨이 　감사합니다. 그러면 2차는 제가 사지요.

어휘

01 [보기]에서 알맞은 단어를 골라 빈칸에 쓰십시오.

[보기]   회의   회식   야유회   동호회

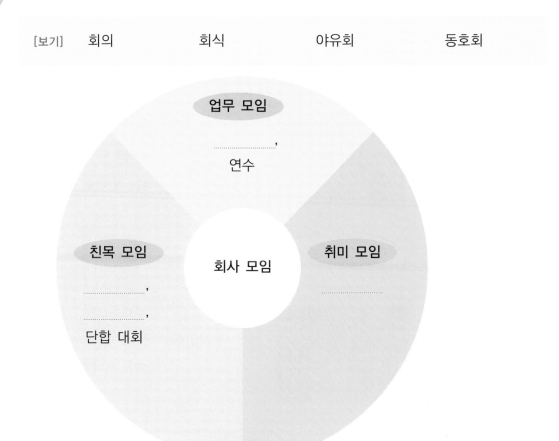

업무 모임

.... ,
연수

친목 모임

.... ,
.... ,
단합 대회

회사 모임

취미 모임

....

02 빈칸에 알맞은 어휘를 쓰십시오.

신입 사원들을 위한 안내

우리 부서에는 매일 오전 11시에 ......회의...... 어/가 있습니다. 꼭 참석하시기 바랍니다. 매달 두 번째 금요일 저녁에는 업무 스트레스를 풀 수 있는 .... 이/가 있습니다. 추천하고 싶은 식당이 있으면 미리 알려 주세요.

일 년에 두 번, 봄과 가을에는 모두 함께 자연을 즐길 수 있는 .... 이/가 있습니다. 또 우리 회사에는 다양한 .... 이/가 있어서 취미 활동을 하기에 좋습니다. 자세한 내용은 과장님께 물어보시기 바랍니다.

문법 연습

01 다음 그림을 보고 문장을 만드십시오.

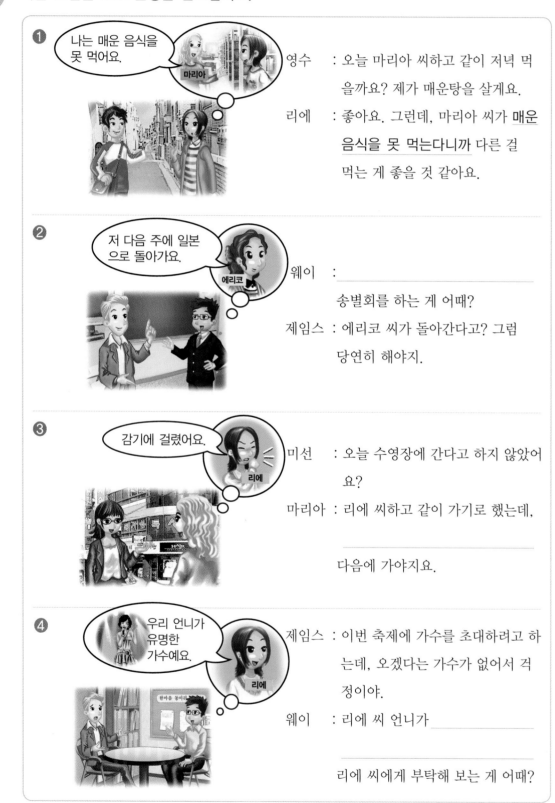

❶ 나는 매운 음식을 못 먹어요.
마리아

영수 : 오늘 마리아 씨하고 같이 저녁 먹을까요? 제가 매운탕을 살게요.

리에 : 좋아요. 그런데, 마리아 씨가 **매운 음식을 못 먹는다니까** 다른 걸 먹는 게 좋을 것 같아요.

❷ 저 다음 주에 일본으로 돌아가요.
에리코

웨이 : _____

송별회를 하는 게 어때?

제임스 : 에리코 씨가 돌아간다고? 그럼 당연히 해야지.

❸ 감기에 걸렸어요.
리에

미선 : 오늘 수영장에 간다고 하지 않았어요?

마리아 : 리에 씨하고 같이 가기로 했는데,

_____

다음에 가야지요.

❹ 우리 언니가 유명한 가수예요.
리에

제임스 : 이번 축제에 가수를 초대하려고 하는데, 오겠다는 가수가 없어서 걱정이야.

웨이 : 리에 씨 언니가 _____

_____

리에 씨에게 부탁해 보는 게 어때?

–지요

02 표를 채우고 '–지요'를 사용해 다음과 같이 문장을 만드십시오.

	상황	생각
1)	날씨가 춥다.	따뜻한 차라도 한 잔 마시는 게 좋다.
2)	시험이 어렵다고 한다.	
3)	오늘 회식이 있다.	

1) 날씨도 추운데 따뜻한 차라도 한 잔 드시지요.

2)

3)

	이유	하려고 하는 일
4)	장학금을 탔다.	한턱낸다.
5)	요리에 자신이 있다.	
6)	친구들 전화번호를 다 안다.	

4) 장학금을 탔으니까 제가 한턱내지요.

5)

6)

과제 1   쓰기

한국의 회식 문화에 대해서 들은 것이 있습니까? 다음은 존슨 씨가 친구에게 한국의 회식 문화에 대해 듣고 쓴 글입니다. 읽고, 여러분의 생각도 써 봅시다.

> [들은 이야기]
> - 매주 회식을 한다.
> - 자신의 술잔으로 옆 사람에게 술을 권한다.

제 친구 회사는 매주 회식을 한다고 합니다. 한 달에 네 번이나 회식을 **한다니까** 정말 자주 하는 편이지요?

회식 자리에서는 마시던 술잔으로 옆 사람에게 술을 권한다고 합니다. 자신이 마시던 술잔에 술을 따라서 **준다니까** 회식 자리에 가고 싶지 않다고 생각했습니다. 그런데, 나중에 알고 보니 한국 사람들은 친한 사람들하고만 이렇게 술잔을 돌린다고 합니다. 같이 일하는 동료들을 한 가족처럼 생각하는 한국 문화에서 이런 회식 문화가 생겼다는 것을 알고 오해가 좀 풀렸습니다.

> [한국의 회식 문화에 대해 들은 것]
> - 폭탄주를 만들어 마시는 모습
> - 산낙지를 먹는 모습
> - _____
> - _____

오해 misunderstanding   **폭탄주** a glass of beer with a smaller glass of whiskey submerged in it   **산낙지** octopus alive

과제 2 읽고 쓰기 ●

01 다음 글을 읽고 질문에 답하십시오.

⊗ **Communication Service @ YONSEI**　　　　▶ 공지사항 ▶ Q&A ▶ 도움말 ▶ 로그아웃

🖳 **메일쓰기**

[보내기] [임시저장] [다시쓰기] [미리보기] [◁》음성메일]　　[주소록]

보내는 사람	김영호
받는 사람 [참조추가 ▽]	자주 사용하는 메일주소 ∨ 　　　　　　　　　　　　최근 보낸 메일주소 ∨
제 목	
편집모드	⊙HTML ○TEXT　　개별발송 □　메시지 인코딩 한국어(EUC-KR) ∨

🗋 📄 | 스타일 ▾ 포맷 ▾ 폰트 ▾ 글자크기 ▾ | ↶ ↷ | 🔍 ✂ 📋 📋 📋 ⊞ ➗ 😊 🎨 | B I U ABC ₓ² | 🅣▾🖌▾ | 🔢 ☰ | 🔳 🔳 | ☰ ☰ ☰ ☰

안녕하십니까?

내일 저녁 7시에 회식이 있습니다. 신입 사원을 환영하는 자리입니다. 한동안 일이 많아서 서로 얘기할 기회도 많지 않았는데 이번 회식에는 우리 부서원 모두가 참석하실 것으로 믿습니다.

장소는 지하철역 근처의 맥주 전문점 연세 호프입니다. 그곳에서 간단한 마술 행사도 있을 예정이므로 기대하셔도 좋을 것 같습니다.

이번 회식에는 사장님이 참석하신답니다. 사장님께 특별히 건의할 말씀이 있으시면 좋은 기회가 될 것입니다. 자주 고장이 나는 복사기 이야기도 할 수 있겠지요?

그리고 2차는 간단하게 볼링을 치려고 하는데 여러분의 의견은 어떻습니까? 좋은 의견 있으면 회신 바랍니다.

김영호 부장 드림

파일 첨부	이름　　　　　　　　　　크기	[파일추가] [파일삭제] [파일보기]
		총용량: [0 bytes] (최대 20M)
	◄　　　　　　　　►	[📥 Simple 업로드]

발송 설정　중요도 [보통 ∨] 보낸메일저장 ☑ 서명추가 □ 내명함첨부 □ 수신확인 ☑
예약 설정　□ [∨]년 [∨]월 [∨]일 [∨]시 [∨]분
회신 주소　[　　　　　　　　　　　]

[보내기] [임시저장] [다시쓰기]

1) 회식의 목적은 무엇입니까? (   )

❶ 동료의 승진을 축하하기 위해서

❷ 동료 사원에게 건의할 문제가 생겨서

❸ 다 같이 술을 마실 기회를 만들기 위해서

❹ 회사에 새로 들어온 사원을 환영하기 위해서

2) 회식에 **참석하지 않는** 사람은 누구입니까? (   )

❶ 사장   ❷ 과장

❸ 신입 사원   ❹ 구내식당 주인

3) 회식에서 사장님께 어떤 이야기를 할까요?

02 여러분 나라에서는 어떤 경우에 어디에서 회식을 합니까? 다음 표를 채우고 [보기]와
같이 글을 써 봅시다.

회식 장소	
회식 목적	
회식 음식	
회식할 때 하는 이야기	
회식 후 활동	
기타	

[보기]

　한국에서는 신입 사원 환영이나 결혼 축하, 승진 축하 등 여러 가지 이유로 회식
을 합니다. 회식을 할 때는 주로 술과 고기를 먹습니다. 술을 마시면서 그동안 동료
에게 하기 어려웠던 말을 하기도 하고 회사 일에 대해서 이야기를 하기도 합니다.
　보통은 술을 마신 후에 2차를 가는데 2차에서는 노래방에 가거나 탁구 같은 가벼
운 운동을 하기도 합니다.

마술 magic　**건의하다** to propose　**회신** reply　**목적** purpose

Dialogue

Head of Department	Let's slowly pack our stuff together. All of you are attending the office dinner of our department today, aren't you ?
Wei	Of course. We are highly anticipating it. Will there be a second round after dinner?
Head of Department	I am thinking of going to karaoke for 2nd round, how does that sound?
Wei	I am sorry, I am afraid that I can't join you. My voice is hoarse so I am not able to sing.
Head of Department	Because Wei says he has a sore throat, let's just have a simple drink, then.
Wei	Thank you. Then the second round is on me.

문법
설명

01 –는다니까/ㄴ다니까/다니까/이라니까

It is the abbreviation of '–는다고/ㄴ다고/다고 하니까'. This expression is used when one gives an order or a suggestion on the basis of a third person's statement. It is attached to verb stems. After action verbs ending with consonants '–는다니까' is used, after action verbs ending with vowels '–ㄴ다니까' is used. After descriptive verbs '–다니까' is used and after nouns '이라니까' follows. For the already finished actions '–었다니까' is used.

- 오늘은 비가 온다니까 일찍들 집에 갑시다.
  They said that it is going to rain today, so let's go home early.
- 아이가 지금 자고 있다니까 조용히 해야겠어요.
  They said that the child is sleeping right now, so we should be quiet.

- 저 사람도 우리 학교 학생이라니까 인사를 하는 게 좋겠지요?

  They said that this person is also a student of this school, so it would be better to greet him/her.

- 내일 시험을 본다니까 열심히 공부하세요.

  They said that there is an exam tomorrow, so you should study hard.

02 −지요

This expression is used when one gives recommendations or a suggestions to a person who is higher in hierarchy or status. It is attached to verb stems.

- 오늘 신입생 환영회가 있는데 교수님도 함께 가시지요.

  There is a welcoming party for the new students today, would you like to go with us, professor?

- 날씨가 꽤 추운데 코트를 입으시지요.

  The weather is really cold, you should better wear a coat.

- 이리로 들어가시지요.

  You should enter this way

It is also used when one expresses one's own will mildly.

- 제임스 씨가 음료수를 가져온다고 하니까 저는 케이크를 가져오지요.

  Since James says he will bring beverages, I will bring cakes.

- 수업이 끝날 때까지 학교 앞 서점에서 기다리지요.

  I will wait at the bookstore in front of the school until the class ends.

- 그럼, 그날 뵙지요.

  I will see you on that day then.

05 정리해 봅시다

01 다음 글의 빈칸에 알맞은 말을 [보기]에서 찾아 쓰십시오.

> [보기] 회갑 잔치   집들이   돌잔치   차례   회식
> 안부를 전하다   안부가 궁금하다   안부 전화를 하다

얼마 전에 직장에서 같이 일하던 미연 씨의 ＿＿＿＿＿＿＿ 어서/아서/여서 전화를 했다.
미연 씨는 얼마 전에 이사를 했다고 했다. 그리고 다음 주에 전에 같이 일하던 사람들을
초대해서 ＿＿＿＿＿＿ 을/를 하려고 하는데 오지 않겠냐고 했다. 그 이야기를 들으니까
그 사람들과 같이 일을 끝내고 ＿＿＿＿＿＿ 을/를 하던 생각이 났다. 한잔하면서 일
때문에 쌓인 스트레스를 풀던 그 시절이 그리웠다. 나는 그날 갈 수 없기 때문에 다른
동료들에게 ＿＿＿＿＿＿ 어/아/여 달라고 미연 씨에게 부탁을 했다.

02 다음 표현을 사용하여 대화를 완성하십시오.

> -어다가   이라도   -더라   - 다니요?   -고 나서   -지   -는다니까   -지요

리에   : 제임스 씨, 어디 다녀오세요?
제임스 : 네, 방 친구가 약 좀 ＿＿＿＿＿＿ 달라고 해서 약국에 다녀오는 길이에요.
                         (사다)
          그런데, 약국에서 1급 때 우리 담임 선생님을 만났어요.
리에   : 그래요? 선생님은 잘 지내시지요?
제임스 : 아니요, 편찮으셔서 이번 학기에는 집에서 쉬고 계시대요.

리에   : ＿＿＿＿＿＿＿＿＿? 많이 편찮으시대요?
     (편찮으시다)
제임스 : 많이 편찮으신 것 같지는 않아요. 다음 학기에는 학교에 나오실 수 있을 거
          래요.
리에   : 그래요? 이번 중간시험 ＿＿＿＿＿＿ 같이 선생님을 찾아뵙는 게 어때요?
                        (끝나다)
제임스 : 좋아요. 그럼, 제가 선생님께 한번 ＿＿＿＿＿＿ .
                         (연락해 보다)

03 여러분 나라의 모임 문화에 대해 친구들에게 소개해 봅시다.
여러분 나라에서는 가족들이 언제 모이고, 모여서 보통 무엇을 하나요?
또, 여러분 나라의 학교, 직장 모임에는 어떤 것들이 있나요?

문화

모임 문화 [CD2:11]

　한국에도 여러분의 나라와 같이 다양한 모임이 있습니다. 돌, 생일, 회갑 잔치 등과 같은 가족 모임, 신입생 환영회나 환송회 등의 학교 모임, 그리고 회식이나 뒤풀이 같은 직장 생활 모임 등이 그것입니다. 이러한 모임에 관련된 문화 중 식사 후 돈을 내는 방식에 대해서 알아봅시다. 한국에서는 친구나 선후배, 혹은 손윗사람이나 손아랫사람과 만날 때 식사비를 각자 내지 않고 한 사람이 내는 경우가 있습니다. 보통 선배와 후배 사이의 만남이라면 선배가, 손윗사람과 손아랫사람과의 만남이라면 손윗사람이 식사비를 내는 경우가 더 일반적입니다. 또한, 친구 간의 만남에서도 식사비를 각자 부담하지 않고 돌아가며 한 사람이 다른 사람의 식사비를 내는 경우도 있습니다. 하지만 최근에는 서양 문화의 영향을 받아 식사비를 각자 부담하는 경우도 있습니다.

1. 여러분 나라의 모임의 종류에 대해서 이야기해 봅시다.

2. 모임 후 돈 내는 방식에 대해서 여러분 나라와 한국을 비교하여 이야기해 봅시다.

방식 way　**손윗사람** a person who is higher in the hierarchy　**손아랫사람** a person who is lower in the hierarchy
각자 individually　**부담하다** to bear the expenses

제7과 실수와 사과

01 숙제를 낸다는 것이 일기장을 냈어요

학습 목표 ● 과제 실수에 대해 이야기하기 ● 문법 –는다는 것이, –을까 봐 ● 어휘 실수 관련 어휘

여자는 무엇을 걱정하고 있습니까?
여러분은 한국에 와서 실수를 한 적이 있습니까?

어떡하다
what should I do

그만
by mistake

일기장
diary

비밀
secret

내용
content

🔊 CD2:12~13

리에 제임스 씨, 어떡하죠? 저 오늘 실수를 했어요.

제임스 왜요? 무슨 일인데요?

리에 선생님께 숙제를 낸다는 것이 그만 제 일기장을 냈어요. 어떻게 하지요?

제임스 뭐가 문제예요? 다시 달라고 하세요.

리에 벌써 선생님이 숙제 검사를 하셨을까 봐 걱정이 돼서 그래요.

제임스 무슨 비밀 내용이 있나 봐요. 저도 궁금해지는데요.

어휘

01 [보기]에서 알맞은 어휘를 골라 빈칸에 쓰십시오.

[보기] 실수하다	잘못하다	착각하다
잊어버리다	오해하다	조심하다

조심하지 않아서 잘못을 했어요. 요즘 바빠서 그런지 자주 이런 행동을 해요.	알고 있던 사실을 기억하지 못해요. 어제 친구와 만나기로 했던 약속 장소가 생각나지 않아요.	앞에 걸어가는 여자가 제 친구인 줄 알았는데 아니었어요.
실수하다		
요즘 제가 자주 실수를 해서 이제는 잘못이나 실수를 안 하려고 노력하고 있어요.	그 사람이 한 말을 다른 뜻으로 잘못 알아들었어요.	요즘 어머니께 자꾸 화를 냈어요. 어머니께 올바르게 행동하지 못했어요.

02 알맞은 어휘를 빈칸에 쓰십시오.

어제 나는 신촌 역 근처에서 1)실수를 했다 <del>었다/았다/였다</del>. 앞에서 걸어가는 여자를 친구로 2)＿＿＿＿＿＿＿고 달려가서 인사를 했는데 알고 보니 그 여자는 모르는 사람이었다. 다음부터는 더 3)＿＿＿＿＿＿＿어야겠다/아야겠다/여야 겠다.

친구가 약속 시간이 한 시간이나 지났는데도 오지 않고 전화도 받지 않았다. 친구가 약속을 4)＿＿＿＿＿＿＿었다고/았다고/였다고 생각한 나는 화가 났다. 잠시 후에 교통사고 때문에 약속을 지키지 못했다는 친구의 전화를 받고 친구를 5)＿＿＿＿＿＿＿은/ㄴ 것이 미안해졌다.

문법 연습

–는다는/ㄴ다는 것이

01 처음에 하려고 생각했던 것과 다르게 실수를 한 적이 있습니까? 다음 표를 채우고 문장을 만드십시오.

	처음에 하려고 한 일	내가 실수로 한 일
1)	필요 없는 공책을 버리려고 했다.	숙제 공책을 버렸다.
2)	가방에 휴대 전화를 넣으려고 했다.	텔레비전 리모컨을 넣었다.
3)	신촌으로 가는 지하철을 타려고 했다.	
4)	한국 돈을 내려고 했다.	

1) 필요 없는 공책을 버린다는 것이 그만 숙제 공책을 버렸다.

2)

3)

4)

–을까/ㄹ까 봐

02 어떤 일이 일어나는 것이 걱정이 될 때 여러분은 어떻게 했습니까? 다음 표를 채우고 문장을 만드십시오.

	걱정되는 일	걱정이 되어서 내가 한 일
1)	추울 것 같다.	두꺼운 옷을 입었다.
2)	아침에 늦게 일어날 것 같다.	자명종을 맞춰 놓았다.
3)	시험을 잘 못 볼 것 같다.	
4)	중요한 약속을 잊어버릴 것 같다.	

1)   추울까 봐 두꺼운 옷을 입었다.

2)

3)

4)

과제 1 말하기

여러분은 언제 어떤 실수를 했습니까? 다음 표를 채우고 그 경험에 대해서 [보기]와 같이 이야기해 봅시다.

	[보기]	나의 실수
언제 실수를 했습니까?	오늘	
어디서 실수를 했습니까?	학교	
무슨 실수를 했습니까?	자판기에서 커피를 뽑으려고 했는데 생강차를 뽑았다.	

[보기]

오늘 또 실수를 했어요. 학교 자판기에서 커피를 **뽑는다는 것이** 그만 생강차를 뽑았어요. 커피를 뽑으면서 어젯밤에 친구와 술 마시던 생각을 했는데 그래서 버튼을 잘못 누른 것 같아요. 할 수 없이 생강차를 마셨어요.

뽑다 to get (a coffee from a vending machine)   **생강차** ginger tea   **할 수 없이** unavoidably

과제 2 듣고 말하기 [CD2:14]

01 대화를 듣고 질문에 답하십시오.

1) 이 대화의 제목으로 가장 적당한 것을 고르십시오. (   )

❶ 오해   ❷ 실수

❸ 약속   ❹ 부탁

2) 리에 씨는 미선 씨에게 뭐라고 부탁했을까요? 쓰십시오.

3) 들은 내용과 같으면 ○ 다르면 X표시를 하십시오.

❶ 리에 씨는 매운 음식을 좋아한다.   (   )
❷ 미선 씨는 김치 김밥을 사 왔다.   (   )
❸ 리에 씨가 먹고 싶었던 김밥은 김치 김밥이었다.   (   )
❹ 미선 씨는 요즘 중요한 약속을 깜빡 잊어버리는 일이 있다.   (   )

02 여러분도 실수한 적이 있습니까? 그 실수를 한 후에 어떻게 했습니까? 다시 그런 실수를 하지 않기 위해 어떤 노력을 하십니까? [보기]와 같이 이야기해 봅시다.

[보기]

저는 눈이 나빠서 가끔 실수를 하는 편이에요. 안경을 쓰거나 렌즈를 끼지만 밤에는 가끔 숫자를 잘못 읽기도 해요. 한번은 학교 수업이 끝난 후에 집에 가는 버스를 타려고 했는데 7724번 버스를 탄다는 것이 버스 번호를 잘못 보고 7721번 버스를 탔어요. 4와 1은 멀리서 보면 비슷하잖아요. 그래서 요즘은 버스를 잘못 탈까 봐 타기 전에 다시 한번 번호를 확인하고, 버스 운전기사 아저씨에게 물어보고 타요.

제대로 properly   **렌즈** contact lens   **멀리서** from far away

Dialogue

Rie	James, what should I do? I made a mistake today.
James	Why? What happened?
Rie	I submitted my diary instead of my homework to the teacher by mistake. What should I do?
James	What is the problem? Just ask your teacher to get it back.
Rie	I am just worried that the teacher has checked the homework already.
James	It seems that there is some kind of secret or something in your diary. If so, then, I want to know, too.

문법
설명

01 –는다는/ㄴ다는 것이

This expression is used when the ending action is different from the prior intention. It is attached to verb stems. If the action verb ends with a consonant '–는다는 것이' is used, and if the action verb ends with a vowel '–ㄴ다는 것이' is used

- 쓰레기를 버린다는 것이 중요한 서류를 버렸다.

  I meant to throw the rubbish away, instead, I threw some important documents away.

- 엄마한테 문자 메시지를 보낸다는 것이 그만 친구에게 보냈다.

  I meant to text my mom a message, instead, I sent it to my friend.

- 커피에 설탕을 넣는다는 것이 그만 소금을 넣었다.
- 친구 이름을 적는다는 것이 그만 내 이름을 적었다.

I meant to put sugar in my coffee, instead, I put salt in.

I meant to write down my friend's name, instead, I wrote mine.

02 -을까/ㄹ까 봐

This expression is used when one is worried or afraid because the prior action or state is likely to happen. It is attached to verb stems. If the verb stem ends with a consonant '-을까 봐' is used and if the verb stem ends with a vowel '-ㄹ까 봐' is used.

- 구두를 신으면 발이 아플까 봐 운동화를 신었다.
- 회의 시간에 늦을까 봐 택시를 탔다.
- 비가 올까 봐 우산을 가지고 왔다.

- 친구가 우리 집을 못 찾을까 봐 마중을 나갔다.

- 약속 시간에 늦었는데, 친구가 벌써 도착했을까 봐 걱정이다.
- 책상 위에 일기장을 놓고 왔는데, 엄마가 내 일기를 봤을까 봐 걱정이다.

I put on my sneakers, worried that my feet might hurt if I wear formal shoes.

I took a taxi worried about being late.

I brought my umbrella worried that it may rain.

I went out to pick up my friend because I was worried that he/she would not be able to find my house.

Because I am late, I am worried that my friend has arrived already.

Because I left my diary on my desk, I am worried that my mom would have read it.

02 하숙집 친구들은 가족 같은 사이잖아요

학습 목표 ● 과제 문화 충격 경험 이야기하기 ● 문법 -어 버리다, -잖아요 ● 어휘 한국 생활 예절 관련 어휘

두 사람은 무슨 이야기를 합니까?
여러분은 한국에 와서 어떤 것을 보고 놀랐습니까?

🔊 CD2:15~16

친하다
to be close

끼리
among
ourselves
(themselves)

비위생적이다
unhygienic

불평하다
to complain

사이
relation

리에　오늘 하숙집 아주머니한테 그동안 참았던 말을 해 버렸어요.

영수　무슨 말을요?

리에　하숙집에서 식사할 때마다 찌개를 덜어 먹지 않고 같이 먹어서 좀
　　　불편하다고요.

영수　한국에서는 친한 사람들끼리 그렇게들 먹어요.

리에　그래요? 저는 그런 줄도 모르고 하숙집 아주머니께 비위생적이라고
　　　불평했어요.

영수　하숙집 친구들은 가족 같은 사이잖아요. 같은 그릇에 먹어도 괜찮을
　　　것 같은데요.

어휘

01 [보기]에서 알맞은 어휘를 골라 빈칸에 쓰십시오.

[보기] 식사 예절	방문 예절	언어 예절	전화 예절

식사 예절

- 어른이 수저를 들 때까지 기다린다.
- 입을 다물고 씹는다.
- 숟가락과 젓가락을 동시에 사용하지 않는다.

- 맨발로 가지 않는다.
- 될 수 있으면 빈손으로 가지 않는다.
- 먼저 자리에 앉지 않는다.

- 가능하면 식사 시간을 피해서 한다.
- 보이지 않는다고 해서 심한 말을 하지 않는다.
- 윗사람과 통화할 때는 먼저 끊지 않는다.

- 처음 보는 사람들에게는 존댓말을 쓴다.
- 여자에게 아줌마라는 말을 하지 않는다.
- 윗사람의 이름을 부르지 않는다.

02 여러분 나라의 생활 예절은 한국과 어떻게 다릅니까?

1) 식사 예절 :

2) 방문 예절 :

3) 언어 예절 :

4) 전화 예절 :

문법 연습

–어/아/여 버리다

01 다음은 마리아 씨와 웨이 씨의 메신저 대화입니다. '–어 버리다'를 사용해서 빈칸을 채우십시오.

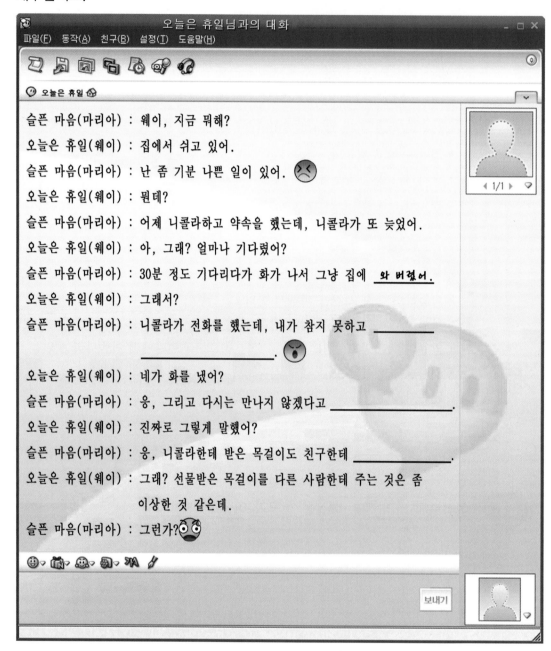

오늘은 휴일님과의 대화 _ □ ×

파일(F)　동작(A)　친구(B)　설정(T)　도움말(H)

⏱ 오늘은 휴일 🏠

슬픈 마음(마리아) : 웨이, 지금 뭐해?

오늘은 휴일(웨이) : 집에서 쉬고 있어.

슬픈 마음(마리아) : 난 좀 기분 나쁜 일이 있어.

오늘은 휴일(웨이) : 뭔데?

슬픈 마음(마리아) : 어제 니콜라하고 약속을 했는데, 니콜라가 또 늦었어.

오늘은 휴일(웨이) : 아, 그래? 얼마나 기다렸어?

슬픈 마음(마리아) : 30분 정도 기다리다가 화가 나서 그냥 집에 _와 버렸어._

오늘은 휴일(웨이) : 그래서?

슬픈 마음(마리아) : 니콜라가 전화를 했는데, 내가 참지 못하고 _____
　　　　　　　　　　_____.

오늘은 휴일(웨이) : 네가 화를 냈어?

슬픈 마음(마리아) : 응, 그리고 다시는 만나지 않겠다고 _____.

오늘은 휴일(웨이) : 진짜로 그렇게 말했어?

슬픈 마음(마리아) : 응, 니콜라한테 받은 목걸이도 친구한테 _____.

오늘은 휴일(웨이) : 그래? 선물받은 목걸이를 다른 사람한테 주는 것은 좀
　　　　　　　　　　이상한 것 같은데.

슬픈 마음(마리아) : 그런가?

보내기

-잖아요

02

표를 채우고 다음과 같이 대화를 완성하십시오.

	결과	상대가 알고 있다고 생각되는 이유
1)	아이가 운다.	과자를 다 먹어 버렸다.
2)	날마다 바쁘다.	일이 많다.
3)	한국말을 잘 한다.	
4)	날마다 순두부찌개만 먹는다.	

1) 가 : 아이가 왜 저렇게 울지?
   나 : 네가 과자를 다 먹어 버렸잖아.

2) 가 : 그 분은 날마다 바쁘세요?
   나 : 네,

3) 가 : 저 사람은 어떻게 저렇게 한국말을 잘 해요?
   나 :

4) 가 : 영수 씨는 왜 날마다 순두부찌개만 먹어요?
   나 :

과제 1 말하기

나라마다 문화가 달라 놀랄 때가 있습니다. 여러분은 한국에 와서 어떤 것을 보고 놀라셨습니까? 다음 표를 채우고 친구들과 [보기]와 같이 이야기해 봅시다.

장소	무엇을 봤습니까?	무엇이 이상합니까?
길에서	• 여자들끼리 손을 잡고 가는 걸 봤어요. •	• 우리나라에서는 동성끼리 손을 잡고 걷지 않아요. •
가게에서 (식당, 백화점 등)	• •	• •
하숙집에서	• •	• •
기타	• •	• •

[보기]

제임스 : 한국에서 생활하면서 문화가 달라 놀란 적은 없어요?

마리아 : 한국 여자들은 친구끼리 손을 잡고 **다니잖아요.** 우리나라에서 동성끼리 손을 잡고 다니면 사람들이 이상하게 생각할 수 있어요.

제임스 : 아, 맞아요. 우리나라에서도 특별한 사이가 아니면 동성끼리는 손을 잡지 않아요. 그런데 한국에서는 그냥 친근감의 표현이래요.

동성 the same gender　**친근감** affection　**표현** expression

과제 2 읽고 말하기 ●────

01 다음 글을 읽고 질문에 답하십시오.

> 3일 전 드디어 기다리고 기다리던 이곳에 도착했다. 비행기가 공항에 도착했을 때 눈물이 날 만큼 기뻤다. 하지만 공항을 벗어나 시내로 가는 버스를 탔는데, 움직일 줄 모르는 자동차와 다닥다닥 붙어 있는 아파트들을 보니 가슴이 꽉 막히는 것 같았다.
>
> 어제는 시내에 나갔다. 그런데 거리를 걸어 다니는 사람들이 모두 다 똑같아 보였다. 요즘 유행하는 머리 스타일, 모두 같은 옷 스타일이 거리를 걸어 다니고 있었다. 길거리에서 개성이라고는 찾아볼 수 없었다. 게다가 고향에서 입던 옷을 입고 있는 나를 모두들 이상하게 보았다. 이곳에서 유행이 아닌 옷을 입었다고 그런 것 같았다. 내가 살던 곳의 길거리를 걷다 보면 한 명도 같은 옷과 같은 헤어스타일을 한 사람이 없었다. 모두 자기 개성대로 입고 꾸민다. 이곳에서도 그런 모습을 볼 수 있을까? 아니면 내가 이곳 사람처럼 바뀌어야 하나?

1) 이 글에 나타난 도시의 특징은 무엇입니까?

2) 이 사람이 느낀 문화 충격은 무엇입니까?

3) 이 사람은 어떻게 하면 좋을까요?

02 여러분이 느낀 문화 충격은 어떤 것이었습니까? 다음 표를 채우고 [보기]와 같이 이야기해 봅시다.

언제 어디에서 느꼈습니까?	
무엇에 대한 것이었습니까?	
여러분이 알고 있던 사실과 어떻게 달랐습니까?	
문화 충격을 받았을 때 어떻게 했습니까?	
기타	

다닥다닥 in clusters   **개성** individual character   **꾸미다** to decorate   **문화 충격** culture shock

Dialogue

Rie	Today, I completely told the boarding house lady everything that I've been putting up with until now.
Yeongsu	What did you tell her?
Rie	I told her that eating all together from the same plate, and not in separate portions is a bit uncomfortable for me.
Yeongsu	People who are close eat like that in Korea.
Rie	Really? I didn't know that, so I complained to the boarding house lady saying it is unhygienic.
Yeongsu	Boarding house friends are like a family, you know. I think that it's ok to eat from the same plate.

문법
설명

01 -어/아/여 버리다

This expression is used when an action is fully finished and nothing is left, when burden is diminished or when some regrets remain. It is attached to verb stems. For all action verbs ending with a vowel except of '아,야,오' '-어 버리다' is used and for all action verbs ending with '아,야,오' the ending '-아 버리다' is attached. For action verbs ending with '하다' '-여 버리다' is used.

• 그 사람은 나를 기다리지 않고 가 버렸다.	That person didn't wait for me and went off.
• 남은 음식을 내가 다 먹어 버렸다.	I ate up all the leftovers.
• 친구의 비밀을 다른 사람에게 말해 버렸다.	I just ended up telling my friend's secret to him/her.

- 갖고 싶었던 사진기를 싸게 파는 것을 보고 사 버렸다.

I bought the camera which I have always wanted because it was sold for a reason-able price.

02 –잖아요

This expression is used when one reconfirms a fact that has been mentioned already or is a known fact to the conversation partner. After action verbs or descriptive verbs '–잖아요' is attached and after nouns '이잖아요' is attached. When one talks about a fact in the past '–었잖아요' is used. '–잖아' is used in conversation with close friends or people who are younger in age or lower in hierarchy.

- 가 : 영수 씨가 이번에 차를 또 바꿨대요.

  나 : 부자잖아요.

- 가 : 그 배우는 연기도 잘 못하는 것 같은데 왜 인기가 많지?

  나 : 예쁘잖아.

- 가 : 공부하기 싫은가 봐요.

  나 : 네, 날씨가 너무 덥잖아요.

- 가 : 제임스 씨가 한국 회사에 취직이 됐대요.

  나 : 한국말을 잘 하잖아요.

- 가 : 철수 씨가 이번 시험 성적이 많이 올랐다고 하던데요.

  나 : 이번 학기에 열심히 공부했잖아요. 성적이 오르는 게 당연한 거지요.

A : They said that Yeongsu changed his car again.

B : He is rich, you know.

A : It looks like that the actress do not act well, but why is she so popular?

B : She is pretty, you know.

A : It looks like that you don't like studying.

B : Yes. It's so hot, you know.

A : I heard that James got a job at a Korean company.

B : His Korean is good, you know.

A : I heard that Cheolsu's exam grades have improved a lot this time.

B : He studied hard this semester, you know. It is obvious that his grades went up.

03 오히려 제가 미안한데요

학습 목표 ● 과제 사과하기 ● 문법 −고 해서, −지 그래요? ● 어휘 사과 관련 어휘

남자는 여자에게 무슨 이야기를 하는 것 같습니까?
여러분은 친구에게 사과할 때 어떻게 말합니까?

들르다
to drop by

부담
a burden

직접적으로
directly

그럴 리가요
no way

오히려
rather

볼일
something to do

CD2:17~18

마리아   어머, 영수 씨. 여기 웬일이에요?

영수   약속이 있어서 근처에 왔다가 잠깐 들렀어요. 어제 제가 한 부탁이
       부담이 됐을까 봐 걱정이 되어서요.

마리아   아니에요. 제가 너무 직접적으로 거절을 해서 화가 난 건 아니지요?

영수   그럴 리가요. 오히려 제가 미안한데요. 그럼 저 그만 가 볼게요.

마리아   그냥 가려고요? 저하고 차라도 한잔하고 가지 그래요?

영수   볼일도 있고 해서 빨리 가 봐야 해요. 차는 다음에 마시지요.

어휘

01 여러분은 사과할 때 어떻게 말합니까? [보기]에서 알맞은 어휘를 골라 빈칸에 쓰십시오.

[보기] 사과하다 변명하다 용서를 빌다 양해를 구하다

"미안합니다."	사과하다
"죄송합니다."	
"여기 좀 앉아도 될까요?"	
"약속 시간을 좀 바꿔도 될까요?"	
"용서해 주십시오."	
"다음부터는 이런 실수를 안 하겠습니다."	
"길이 막혀서 늦었어요."	
"어제 몸이 좀 아파서 숙제를 못했어요."	

02 [보기]에서 알맞은 어휘를 골라 빈칸에 쓰십시오.

[보기] 미안하다 죄송하다 사과하다 변명하다 용서를 빌다

　　우리는 실수나 잘못을 했을 때 다른 사람에게 1) 사과한다 ~~는다/ㄴ다.~~ 나보다 나이가 어리거나 비슷한 나이의 친구에게는 보통 2) ＿＿＿＿＿ 는다고/ ㄴ다고/다고 말한다. 그러나 잘 모르는 사람이거나 나보다 나이가 많은 사람들에게는 미안하다는 말보다 3) ＿＿＿＿＿ 는다는/ㄴ다는/다는 말을 한다. 나의 잘못을 그 사람에게 솔직하게 말하고 4) ＿＿＿＿＿ 으면/면 사람들은 보통 마음을 풀고 용서를 해 준다.

문법 연습

-고 해서

01 표를 채우고 다음과 같이 문장을 만드십시오.

	질문	이유 1	이유 2
1)	왜 학생 식당에 자주 가요?	값이 싸다	가깝다
2)	집도 가까운데 왜 택시를 탔어요?	짐이 많다	피곤하다
3)	어제는 왜 그렇게 일찍 퇴근하셨어요?		
4)	얼마 전에 이사하셨는데 왜 또 이사하셨어요?		

1) 값도 싸고 해서 학생 식당에 자주 가요.

2)

3)

4)

-지 그래요?

02 다음 상황의 사람에게 다음과 같이 조언을 하십시오.

	조언을 받을 사람	조언 내용
1)	수업 시간에 너무 아파하는 친구	선생님께 말씀 드리고 집에 가지 그래?
2)	성적이 나빠서 고민하는 친구	
3)	살이 많이 쪄서 고민하는 친구	
4)	친구와 싸우고서 괴로워하는 친구	

과제 1 말하기 ●━━━━━━━━━━━━━━

여러분은 다음과 같은 상황에서 어떻게 사과하시겠습니까? 다음 표를 채우고 [보기]와 같이 친구와 대화해 봅시다.

	상황	그 이유	사과 표현
1)	친구한테 빌린 볼펜을 지하철에서 떨어뜨렸는데 주울 수가 없었다.	1. 수업에 늦었다. 2. 지하철을 다시 탈 수 없었다.	미안해서 어떻게 하지요?
2)	친구와의 약속에 늦었다.	1. 2.	
3)	엄마가 사 오라는 물건을 사 오지 않았다.	1. 2.	
4)	친구한테서 빌린 물건을 돌려주는 것을 잊어버렸다.	1. 2.	

[보기]

가 : 저, 미안해서 어떻게 하지요? 어제 빌린 볼펜을 잃어버렸어요.

　　지하철 안에다가 떨어뜨렸는데, 다시 **탈 수도 없고 해서** 줍지 못했어요.

나 : 아, 그래요? 괜찮아요.

가 : 불편하실 텐데 오늘은 제 볼펜이라도 쓰시겠어요?

과제 2 듣고 말하기 [CD2:19]

01 대화를 듣고 질문에 답하십시오.

1) 이 대화의 제목으로 가장 적당한 것을 고르십시오. (   )

❶ 기회   ❷ 고민

❸ 사과   ❹ 문화 충격

2) 들은 내용과 같으면 ○ 다르면 X표시를 하십시오.

❶ 남자는 여자에게 무슨 잘못을 한 것 같다.   (   )

❷ 남자는 지금도 자신의 행동이 옳았다고 생각한다.   (   )

❸ 여자는 오늘 남자에게 점심을 살 것이다.   (   )

❹ 여자는 남자의 사과를 받아들이지 않고 있다.   (   )

02 다음 표에 여러분이 사과할 때 가장 많이 쓰는 표현을 세 가지 써 보십시오. 그리고 반 친구들이나 다른 한국 사람들에게도 이에 대해 물어보십시오. 다음 표를 채우고 어떤 표현을 가장 많이 쓰는지 순서대로 발표해 봅시다.

이름	사과할 때 가장 많이 쓰는 표현 세 가지		
나	미안해요.	사과할게요.	잘못했어요.
한국 사람들			
반 친구들			

[가장 많이 쓰는 표현]

	한국 사람들		반 친구들	
	표현	횟수	표현	횟수
1위				
2위				
3위				

행동 action　**옳다** to be right　**횟수** the number of times

Dialogue

Maria	Yeongsu, What are you doing here?
Yeongsu	I dropped by for a short time because I have an appointment in this area. It's just because I was worrying that the favor I asked of you yesterday had become a burden.
Maria	That's alright. Weren't you upset that I rejected it?
Yeongsu	No, not at all. Rather I feel sorry that I asked you. I guess I should be going now.
Maria	You're just intending to go? Why don't you have a cup of tea with me?
Yeongsu	Since I have something to do, I have to go. Let's have tea some time later.

문법
설명

01 -고 해서

This expression is used to emphasize one representing reason out of many similar others. It is attached to verb stems.

● 피곤하고 해서 집에 일찍 갔다.	I went home early because I was tired.
● 할 일도 없고 해서 산책을 했다.	I went for a walk because there was nothing to do.
● 날씨도 추워지고 해서 옷을 사러 갔다.	I went clothes shopping because the weather got colder.
● 점심도 늦게 먹고 해서 저녁을 안 먹었다.	I didn't have dinner because I had a late lunch.

02 −지 그래요?

This expression is used when carefully suggesting or recommending something to someone which they have not done. It is attached to verb stems and not used to people who are higher in the hierarchy or status. '−지 그래' is used when talking to close people or people who are lower in the hierarchy.

- 그렇게 서두르지 말고 좀 천천히 하지 그래요?

  How about slowing down instead of hastening like that?

- 아침부터 아무것도 먹지 않던데, 뭘 좀 먹지 그래?

  You haven't eaten anything since this morning, how about eating something?

- 가 : 눈이 아파서 컴퓨터 글씨가 잘 안 보이네.

  A : I can't see the letters on the computer, because my eyes hurt.

  나 : 조금 쉬었다가 하지 그래요?

  B : How about taking a short break?

- 가 : 내일부터 시험인데 준비가 덜 돼서 걱정이에요.

  A : The exams start from tomorrow but I am worried because my preparations are incomplete.

  나 : 걱정만 하지 말고 지금이라도 공부 좀 하지 그래?

  B : How about studying now instead of only worrying about it.

04 다른 방법으로 미안함을 표현하기도 해요

두 사람은 무슨 이야기를 합니까?
여러분은 사과를 자주 하는 편입니까?

CD2:20~21

리에   한국 사람들은 미안하다는 말을 잘 안 쓰나 봐요.

제임스   맞아요, 그래서 오해를 살 때도 있어요. 그런데 무슨 일 있었어요?

리에   어제 어떤 사람이 길에서 저하고 부딪쳤는데도 미안하다는 말을 하지
       않았어요.

제임스   그래요? 그 사람이 부딪치고도 사과를 하지 않았단 말이에요?

리에   미안하다고는 하지 않고 괜찮냐고만 계속 물었어요.

제임스   그랬군요. 어떤 한국 사람들은 미안하다는 말 대신에 다른 방법으로
       미안함을 표현하기도 해요.

오해를 사다
to create a misunderstanding

부딪치다
to bump against

계속
continuously

표현하다
to express

어휘

01 [보기]에서 알맞은 어휘를 골라 빈칸에 쓰십시오.

02 알맞은 어휘를 빈칸에 쓰십시오.

1) 초등학교 때 친구를 지금 다시 만나면 <u>알아볼</u> 을/ㄹ 수 있을까?

2) 그 사람은 고집이 정말 센데 네가 ＿＿＿＿＿＿＿ 을/ㄹ 수 있겠어?

3) 역사 드라마는 단어가 어려워서 내용을 ＿＿＿＿＿＿＿ 기가 어렵다.

4) 그 사람은 목소리가 너무 작아서 무슨 말을 하는지 ＿＿＿＿＿＿＿ 을/ㄹ 수 없었다.

5) 그 두 사람은 아까 큰 소리로 싸웠는데 지금 같이 웃으면서 이야기하고 있다.

　　벌써 ＿＿＿＿＿＿＿ 었나/았나/였나 보다.

문법 연습

-고도

01 관계있는 것을 연결하고 다음과 같이 문장을 만드십시오.

1) 편지를 받다 • • 사과하지 않아요.

2) 친구를 보다 • • 보러 가지 않았어요.

3) 그 사람은 잘못을 하다 • • 인사하지 않았어요.

4) 표를 예매하다 • • 답장을 보내지 않았어요.

1) 편지를 받고도 답장을 보내지 않았어요.

2) _____

3) _____

4) _____

–는단/ㄴ단/단/이란 말이에요?

02 다음은 리에의 일기입니다. 대화를 완성하십시오.

오늘은 내가 좋아하는 가수 비의 생일이었습니다. 친구들과 저는 비의 생일을 축하해 주려고 학교에도 가지 않고 아침 일찍 서둘러 집을 나왔습니다. 비는 팬이 많아서 일찍 가지 않으면 생일 파티를 하는 동안 얼굴도 볼 수 없기 때문입니다.

생일 파티는 올림픽 체조 경기장에서 했습니다. 경기장 앞에는 벌써 사람들이 많았습니다. 나중에 들으니까 10,000명도 넘게 왔다고 합니다. 우리는 생일 축하 노래도 불러 주고 선물도 주었습니다. 비는 너무 행복해 보였습니다. 그 모습을 보니 저도 행복해지는 것 같았습니다.

밖으로 나오니까 비가 오기 시작했습니다. 퇴근 시간에 비까지 오니까 차들이 움직이지 않았습니다. 우리는 버스를 기다리다가 걸어서 가기로 했습니다. 비를 맞으면서 1시간이나 걸었습니다. 비를 생각하며 맞는 비는 너무 좋아서 추운지도 몰랐습니다. 행복한 하루였습니다.

선생님 : 리에 씨, 어제 왜 학교에 안 왔어요? 어디 아팠어요?

리 에 : 죄송해요, 선생님. 어제 가수 비 생일 파티에 갔어요.

선생님 : 가수 생일 파티 때문에 1) <u>학교에 안 왔단 말이에요?</u>

리 에 : 네, 죄송합니다. 일찍 가지 않으면 비를 가까이에서 볼 수 없거든요.

선생님 : 그렇게 사람이 많았어요?

리 에 : 네, 10,000명도 넘게 왔다고 들었어요.

선생님 : 생일 파티에 2) _____?
　　　　대단하네요. 생일 파티는 어디에서 했는데요?

리 에 : 올림픽 체조 경기장에서요.

선생님 : 리에 씨 집은 인천인데 거기까지 3) _____?
　　　　그런데 리에 씨 어디 아파요? 안색이 안 좋은데요?

리 에 : 어제 한 시간쯤 비를 맞았는데 감기 기운이 좀 있는 것 같아요.

선생님 : 한 시간이나 4) _____?
　　　　비를 정말 좋아하시는군요. 오늘은 일찍 들어가서 푹 쉬세요.

과제 1	말하기

다음 표를 채우고 자신의 경험을 [보기]와 같이 친구들과 이야기해 봅시다.

	질문	대답
1)	친구에게 사과를 받고도 기분 나빴던 경험이 있습니까? 왜 그랬습니까?	☐ 친구의 사과가 진심이 아니라는 생각이 들어서 ☐ 친구가 사과하면서 한 말이 더 기분 나빠서 ☐ _____
2)	어떻게 사과하는 것이 가장 좋은 방법일까요?	☐ 변명을 한다. ☐ 무조건 잘못했다고 말한다. ☐ 상대방의 기분이 좋아질 때까지 기다린다. ☐ 상대방이 나한테 잘못한 것을 이야기한다. ☐ _____

[보기]

친구의 사과가 진심이 아니라는 생각이 들어서 사과를 **받고도** 기분이 나빴던 적이 있습니다. 친구가 보낸 문자 메시지에는 무조건 잘못했다고 쓰여 있었습니다. 저는 그 사과 메시지를 보고 더 화가 났습니다. 친구는 제가 왜 화가 났는지도 모르고 사과를 하는 것 같다는 생각이 들었기 때문입니다.

과제 2	읽고 말하기

01 다음 글을 읽고 질문에 답하십시오.

실수를 했거나 잘못을 했을 때 어떻게 하면 좋을까? 다음은 사과의 방법에 대한 것이다. 사과는 직접 만나서 하는 것이 좋다. 싸운 뒤 만나는 것이 어색하다고 생각하는 사람도 있겠지만 오히려 직접 마주 보고 이야기를 하는 것이 더욱 편안하고 자연스러운 분위기를 만들 수 있다.

사과보다 먼저 상대방의 말을 듣는 것이 좋다. 사과부터 하는 것은 효과적이지 않다. 상대방이 왜 화가 났는지 어떤 점이 불만인지 말하게 하고 들어야 한다. 상대방이 어느 정도 화가 났고 자신의 어떤 점을 사과해야 하는지 정확하게 알아야 한다.

어색하다 to be awkward   **진심** the bottom of one's heart   **무조건** unconditionally

사과를 할 때에도 시간이 중요하다. 잘못을 한 뒤 될수록 빠른 시간 안에 사과를 하는 것이 좋지만 바로 그 자리에서 사과하는 것은 오히려 진심으로 미안한 마음이 없는 것처럼 보이기 쉽다. 싸우고 난 뒤 서로 어느 정도 화가 풀렸을 때쯤 사과를 하는 것이 좋다.

그리고 남성이 여성에게 사과의 의미로 꽃을 보내는 것은 좋은 방법이지만 만약 자신의 잘못이 무엇인지도 모르고 무조건 사과부터 하려고 하면 여성은 이 꽃을 쓰레기통에 버릴 수도 있다.

1) 이 사람이 권하는 사과의 방법으로 맞는 것을 **모두** 고르십시오. (   )

❶ 사과는 직접 만나서 하는 것이 좋다.

❷ 사과부터 하지 말고 상대방의 말을 들어야 한다.

❸ 서로 기분이 상하고 난 뒤 바로 그 자리에서 사과하는 것이 좋다.

❹ 사과는 여러 번 하는 것이 좋다.

❺ 사과하기에 앞서 선물로 상대방의 마음을 풀어 주는 것이 좋다.

2) 여러분의 방법과 이 사람의 방법이 어떻게 다릅니까? [보기]와 같이 비교해 봅시다.

[보기]

이 사람은 직접 만나서 하는 것이 분위기 면에서 좋다고 생각하는데 저는 직접 만나서 하는 것보다 편지로 하는 것이 좋다고 생각합니다. 얼굴을 보면 화가 났을 때의 상황이 생각나서 더 화가 날지 모르기 때문입니다. 어느 방법이 좋은지는 한번 해 봐야 할 것 같습니다.

02 한국 사람들의 사과를 받은 적이 있습니까? 무슨 일로 어떻게 사과를 받으셨습니까? [보기]와 같이 말해 봅시다.

[보기]

한국 사람들은 사과를 잘 하지 않는다고 해요. 부딪치고도 사과를 하지 않기도 해요. 겉으로 보기에는 무뚝뚝하고 자기의 잘못을 모르는 것 같아요. 하지만 저는 그렇게 생각하지 않아요. 얼마 전에 지하철을 탔는데 옆에 있는 한국 사람이 내 발을 밟았어요. 그 사람은 '미안하다'는 말 대신 '괜찮으세요?'라고 나에게 물었어요. 나는 사과를 받은 것보다 이 말이 더 기분 좋았어요.

효과적이다 to be effective   **불만** dissatisfaction

Dialogue

Rie   It seems that Korean people don't often say sorry.

James   That's right. So, this is often misunderstood. But what happened?

Rie   Someone bumped against me in the street yesterday but didn't say sorry.

James   Really? You mean that he didn't apologize even though he bumped against you?

Rie   He didn't say sorry but he only kept asking me whether I was okay.

James   Really? Instead of saying sorry, some Korean people also express apology in different ways.

문법
설명

01 -고도

This expression is used when one's action or the result is different from what one has expected. It is attached to action verb stems.

- 몇 번이나 연습하고도 또 실수를 해 버렸다.

  Even though I have practiced so many times, I made a mistake.

- 도와주고도 나쁜 소리를 들으니까 너무 속상하다.

  I was very annoyed because I heard something bad even though I helped him/her.

- 피자를 1판이나 먹고도 배가 고프다고?

  Did you say that you are still hungry even though you ate a whole pizza?

- 월급을 받고도 돈이 없다고 거짓말을 했다.

  I lied that I had no money even though I had received my salary.

02 –는단/ㄴ단/단/이란 말이에요?

This expression is used when one asks a question to reconfirm the statement of the conversation partner because he/she cannot believe the statement. It is attached to verb stems. After action verbs ending with consonants '–는단 말이에요?'is used and after action verbs ending with vowels '–ㄴ단 말이에요?' is used. Attached to the descriptive verb stem is '–단 말이에요?' and attached to the nouns is '–이란 말이에요?'. If one wants to confirm a finished action the attached form is '–었단 말이에요?'.

• 가 : 날씨가 추워서 한강이 얼었대요.

   나 : 그렇게 춥단 말이에요? 내일은
      옷을 좀 더 입고 가야겠네요.

• 가 : 제임스 씨는 어제도 도서관에서
      1시까지 공부하던데..
   나 : 시험도 끝났는데 그렇게 열심히
      공부한단 말이에요?

• 가 : 냉장고에 있던 피자 내가 다 먹었어.

   나 : 네? 그 많은 피자를 혼자 다 먹었단
      말이에요?

• 가 : 내일은 꼭 스키장에 갈 거야.

   나 : 내일 비 온다고 하던데. 비가 와도
      가겠단 말이야?

A : The Han River froze because the weather is so cold.

B : Are you saying that it is that cold? I should wear more clothes tomorrow.

A : James studied until 1 am in the library yesterday.

B : Are you saying that he is still studying that hard even though the exams are already over?

A : I ate the whole pizza in the refrigerator.

B : What? Did you say that you ate the whole pizza all by yourself?

A : Tomorrow I am definitely going to the ski-slope.

B : I heard that it will rain tomorrow. Are you saying you will still go even though it rains?

05 정리해 봅시다

01 [보기]에서 알맞은 어휘를 골라 빈칸에 쓰십시오.

[보기]	오해	사과	착각	실수	용서

1) 길에서 친구와 뒷모습이 비슷한 사람을 보고 친구로 .... 을/를 했다.

2) 친구의 비밀을 .... 으로/로 다른 사람에게 말해 버렸다.

3) 친구에게 여러 번 .... 을/를 했지만 그 친구는 나를 .... 을/를 해 주지 않았다.

4) 그 사람이 나를 보고도 인사를 하지 않아서 기분이 나빴는데 사실은 눈이 나빠서 그런 것이었다. .... 을/를 해서 미안하다는 생각이 들었다.

02 다음 표현을 사용하여 대화를 완성하십시오.

[보기]	−는다는 것이	−을까 봐	−잖아요	−어/아/여 버리다
	−고 해서	−지 그래요?	−고도	−단 말이에요?

가 : 여행 간 줄 알았는데 안 갔어요?

나 : 네, 11일 표를 .... 12일 표를 샀거든요.
   　　　　　　　　(사다)
   표를 받고 나서 확인도 했는데 자세히 보지 않아서 잘못 산 줄 몰랐어요.

가 : 아니 표를 .... 잘못 산 것을 .... ?
   　　　　　(확인하다)　　　　　　　　　　　(모르다)

나 : 네, 표가 매진이어서 바꿀 수도 없었어요.

가 : 그럼 여행은 안 가요?

나 : 네, 시험도 있고 아르바이트도 .... 그냥 .... 었어요
   　　　　　　　　　　　　　　　(있다)　　　　　(취소하다)
   /았어요/였어요.

가 : 바빠도 잠깐 시간을 내서 .... ?
   　　　　　　　　　　　　(다녀오다)

03 여러분 나라에서는 괜찮지만 한국에서는 하면 안 되는 일이 있습니까? 반대로 한국 사람들은 하지만 여러분 나라 사람들은 하지 않는 일이 있습니까? 일상생활에서의 문화 차이 때문에 실수한 경험에 대해 이야기해 봅시다.

문화

문화 충격과 실수 [CD2:22]

　　문화 충격이란 어떤 사람이 새로운 문화권에 들어갔을 때 두 문화의 차이에 의해 느끼게 되는 충격을 말합니다. 사람들은 새로운 문화에 익숙해지는 과정에서 누구나 문화 충격을 느낄 수 있습니다. 외국에서 생활하다 보면 사람들의 생각, 언어, 습관 등 많은 것들이 낯설기 때문에 사람들은 뜻하지 않은 실수를 하게 되기도 합니다. 예를 들어, 한국에서 여자 두 명이 팔짱을 끼고 정답게 걸어가는 모습을 보았다고 합시다. 이 모습에 대해서 여러분은 어떻게 생각하십니까? 어떤 문화권에서 온 사람은 참 이상한 모습이라고 생각할 수도 있고, 또 다른 문화권에서 온 사람은 아무렇지 않다고 생각할 수도 있습니다. 한국에서는 친한 친구 사이일 경우 남자끼리, 혹은 여자끼리 손을 잡거나 팔짱을 낄 수 있습니다. 만일 우리가 이러한 사실을 모르고 있었다면 실수를 할 수도 있을 것입니다. 우리는 이러한 문화 차이에 의한 실수를 피하기 위해 외국어를 배울 때 그 문화에 대해서도 바르게 배워야 할 것입니다.

1. 여러분이 한국에서 한 실수에 대해서 이야기해 보고 그 원인은 무엇이었다고 생각하는지 이야기해 봅시다.

2. 여러분의 나라에서 외국인이 느낄 수 있는 문화 충격은 어떤 것이 있을까요? 이야기해 봅시다.

문화권 a cultural area　　**차이** difference　　**팔짱을 끼다** to be arm in arm with a person

제8과 **학교생활**

01 같이 의논해 보도록 하자

학습 목표 ● 과제 야유회 계획하기 ● 문법 –으면서도, –도록 하다 ● 어휘 야유회 관련 어휘

두 사람은 무슨 이야기를 합니까?
여러분은 친구들과 함께 보통 어디로 놀러 갑니까?

CD2:23~24

일정
schedule

전체
all together

의논하다
to talk about
something

회장	이번 야유회 언제 가는 게 좋을까?
제임스	금요일 오후에 1박 2일로 가는 게 좋겠어요.
	주말에는 너무 복잡하잖아요.
회장	그래, 사람들이 복잡한 줄 알면서도 주말에 많이 놀러 가니까.
제임스	그럼 장소와 일정은 어떻게 하지요?
회장	내일 동아리 전체 회의가 있으니까 같이 의논해 보도록 하자. 어때?
제임스	그게 좋겠어요. 모두들 관심이 있을 테니까요.

어휘

01 [보기]에서 알맞은 어휘를 골라 빈칸에 쓰십시오.

[보기]	일정	회비	행사	회원
	준비물	교통편	야유회	진행

- 여러 사람이 모여서 하는 특별한 활동
- 예) 졸업식
  소풍
  연극 대회
- 행사에 참여하다
  행사 을/를 열다

- 어떤 모임을 구성하는 사람들
- 예) 김영수(남, 24세, 회사원)
  이지수(여, 27세, 대학원생)
  박철호(남, 30세, 은행원)
- 동아리 ....
  신입 ....

- 어떤 일을 하기 위해 필요한 물건들
- 예) 세면도구
  운동화
  사진기

- 정해진 기간 동안 해야 할 일의 계획을 날짜별로 짜 놓은 것
- 예) 9:00 학교 앞 출발
  10:00 목적지 도착
  12:00 점심 식사

- 수업 ....
  여행 ....

- 여행 ....
  주말 ....

02 다음은 야유회 안내문입니다. 빈칸에 알맞은 어휘를 쓰십시오.

야유회 안내

안녕하세요? 스승의 날을 맞이하여 선생님을 모시고 야유회를 가기로 했습니다.
모두 참석해 주시기 바랍니다.

날짜	: 5월 15일	
장소	: 대성리	
....	: 10:00	청량리 역 출발 (............. : 기차)
	12:00–13:30	대성리 도착 후 점심 식사
	13:30–15:30	장기 자랑
	15:30–17:30	자유 시간 (배 타기, 자전거 타기)
	18:00	서울로 출발
....	: 15,000원	
....	: 음료수, 간식, 기타, 사진기, 비상약 등	

문법 연습

-으면서도/면서도

01 관계있는 것을 연결하고 다음과 같이 문장을 만드십시오.

1) 그 사람을 잘 모른다.   ● 인사하지 않았다.

2) 건강에 나쁜 줄 안다. ●   ● 사과하지 않았다.

3) 그 사람이 화가 난 줄 안다. ●   ● 담배를 끊지 않는다.

4) 친구를 봤다. ●   ● 안다고 말했다.

1)   그 사람을 잘 모르면서도 안다고 말했다.

2)

3)

4)

-도록 하다

02 감기에 걸렸을 때는 어떻게 하면 좋습니까? 감기에 걸린 친구에게 조언해 주십시오.

	어떻게 하면 좋을까요?	말해 봅시다
1)	푹 쉬어야 한다.	푹 쉬도록 해.
2)	따뜻한 차를 많이 마신다.	
3)	신선한 과일을 많이 먹는다.	
4)		

과제 1 말하기 ●

다음 표를 채우고 반 친구들과 함께 [보기]와 같이 야유회 계획을 세워 봅시다.

언제	이번 주말	
장소	여의도 공원	
그 장소를 선택한 이유	가깝다. 할 수 있는 것이 많다. (인라인 스케이트, 자전거, 잔디밭에서 점심 식사, 게임 등)	
준비물	도시락, 간식, 음료수, 게임할 것	

[보기]

가 : 지금부터 이번 주말에 갈 야유회 장소와 시간을 **결정하도록 합시다.**

먼저 야유회 장소부터 **결정하도록 할까요?**

나 : 서울 근처에 있는 광릉 수목원은 어떻습니까?

다 : 거기보다는 가까운 곳이 좋을 것 같은데요. 여의도 공원은 어떨까요?

여의도 공원은 가깝고 할 수 있는 것들이 많아요. 잔디밭에서 점심을 먹고 게임을 해도 되고, 인라인 스케이트나 자전거도 탈 수 있거든요.

가 : 좋아요, 그럼 여의도 공원에 **가도록 하지요.** 그런데 점심은 어떻게 할까요?

나 : 점심은 도시락을 싸 가지고 가서 **먹도록 합시다.** 식당에 가는 것보다는 공원에서 도시락을 먹는 것이 더 좋을 것 같습니다.

가 : 좋습니다. 그럼 몇 시쯤 만나는 것이 좋을까요?

다 : 학교 앞에서 11시쯤 **만나도록 할까요?**

가 : 그럼 모두 늦지 말고 11시까지 **오도록 하세요.**

도시락 lunch box   **간식** snack   **잔디밭** lawn   **(도시락을) 싸다** to prepare the lunch box

과제 2 듣고 쓰기 [CD2:25]

01 대화를 듣고 질문에 답하십시오.

1) 두 사람은 무엇에 대해 이야기하고 있습니까? (   )

❶ 야유회의 장점

❷ 동아리 야유회 계획

❸ 야유회 장소

❹ 장기 자랑 대회

2) 들은 내용과 같으면 ○ 다르면 X표시를 하십시오.

❶ 이 사람들은 동아리 회원들과 함께 야유회를 간다.   (   )

❷ 이 사람들은 노래자랑 대회가 끝나면 점심 식사를 할 것이다.   (   )

❸ 미선 씨는 장기 자랑 대회의 진행을 맡을 것이다.   (   )

❹ 미선 씨는 행사의 준비와 정리를 맡을 것이다.   (   )

02 다음 [보기]는 제임스 씨 동아리의 야유회 계획표입니다. 여러분도 반 친구들과 함께 야유회 계획표를 짜 봅시다.

[보기]

날짜	9월 8일
장소	남이섬
일정	8:00　　　　　학교 앞 출발 10:00　　　　남이섬 도착 10:00 − 12:00　산책, 관광 12:00 − 13:00　점심 식사 13:00 − 16:30　장기 자랑 대회 16:30 − 17:00　정리 17:00　　　　서울로 출발
준비물	음료수, 간식, 기타, 사진기, 비상약 등
진행자	김미선
기타	• 회원들에게 야유회 소식 알리기 • 회비: 1인당 30,000원 　(교통비, 식비, 입장료 포함)

[여러분의 계획]

날짜	
장소	
일정	
준비물	
진행자	
기타	

구체적이다 to be in concrete　　**나누다** to share　　**장점** advantage　　**맡다** to be responsible　　**비상약** medicine for emergency

YONSEI KOREAN3

Dialogue

Leader	When would it be good to go on a picnic this time?
James	It would be good to go this Friday afternoon for two days and one night. The weekend is busy, you know.
Leader	That's right. People go out on the weekends even though they know it is busy.
James	Then, what about the time and place?
Leader	We have a club meeting tomorrow so let's talk about it together. How's that?
James	Sounds good. Everyone would be interested.

문법 설명

01 -으면서도/면서도

It is used when the action or the state in the second clause continues after the first clause, but the second action or the state is the opposite of which was mentioned in the beginning of the sentence. It is attached to verb stems. Attached to the action or descriptive verb stems ending with consonants is '-으면서도' and attached to the action or descriptive verb stems ending with vowels is '-면서도'.

- 두 사람은 서로 사랑하면서도 결혼은 안 했다.

  The two didn't get married even while they loved each other.

- 잘못한 줄 알면서도 사과하지 않는다.

  He/She doesn't apologize even while he/she knows that he/she did a mistake.

- 시험에 떨어졌으면서도 공부를 안 한다.

  Even while he/she failed the exam, he/she is still not studying.

• 이 옷은 얇으면서도 따뜻하다.   This article of clothing is warm even while it is very thin.

02 -도록 하다

It is used to recommend or order an action to the conversation partner. It is attached to an action verb stem.

• 충분히 쉬도록 하십시오.   Make sure that you rest well.
• 옷을 따뜻하게 입도록 해라.   Make sure that you wear warm enough.
• 나중에 만나도록 합시다.   Let's make sure to meet later.
• 내일 늦지 않도록 합시다.   Let's make sure not to be late tomorrow.

It is also used to emphasize the speaker's will.

• 내일 일찍 오도록 하겠습니다.   I will try to come early tomrrow.
• 오늘 저녁까지 이 일을 끝내도록   I will try to finish this work by tonight.
  하겠습니다.

02 우리 언어 교환 할까요?

학습 목표 ● 과제 언어 교환 일정 짜기 ● 문법 어찌나 -는지, -고 말다 ● 어휘 언어 교환 관련 어휘

두 사람은 무슨 이야기를 하는 것 같습니까?
여러분은 외국어를 어떻게 공부합니까?

CD2:26~27

어찌나
so

발음
pronunciation

마침
fortunately

언어 교환
language
exchange

시간이 나다
to have time

웨이   제임스 씨, 요즘도 중국어 공부해요?

제임스   아니요, 조금 배우다가 발음과 억양이 어찌나 어려운지 포기하고
말았어요.

웨이   외국어 공부는 정말 어려워요. 저도 영어를 배우고 있는데 쉽지가
않네요.

제임스   그럼 우리 언어 교환 할까요? 저도 중국어를 다시 배우고 싶거든요.

웨이   저도 영어를 좀 더 연습하고 싶었는데, 마침 잘 됐네요. 제임스 씨는
언제 시간이 나요?

제임스   저는 월요일이나 수요일 오후가 좋은데요.

어휘

01 [보기]에서 알맞은 어휘를 골라 빈칸에 쓰십시오.

[보기]	연락처	성별	국적	모국어	기타

	☐한국	☐미국	☐중국	☐일본	☐베트남
	☐남자	☐여자			
	☐한국어	☐영어	☐중국어	☐일본어	☐베트남어
	☎ 010 – 123 – 3456				
교환 희망 언어	☐한국어	☐영어	☐중국어	☐일본어	☐베트남어
	월요일, 수요일 오후 2시에 시간이 있습니다. 축구를 같이 했으면 좋겠습니다.				

02 다음은 언어 교환 신청서입니다. 여러분의 정보를 다음 표에 쓰십시오.

이름	
성별	
국적	
모국어	
연락처	
교환 희망 언어	

문법 연습

어찌나 -는지/은지/ㄴ지

01 관계있는 것을 연결하고 다음과 같이 문장을 만드십시오.

1) 그 회사는 일이 아주 많다. •   • 귀찮아 죽겠어.

2) 그 식당 음식이 아주 맛있다. •   • 다들 형제인 줄 알아요.

3) 그 여자가 전화를 자주 한다. •   • 둘이 먹다가 하나가 죽어도 모르겠어요.

4) 두 사람은 아주 많이 닮았다. •   • 화장실에 갈 시간도 없어요.

1) 그 회사는 어찌나 일이 많은지 화장실에 갈 시간도 없어요.

2)

3)

4)

-고 말다

02 다음 표를 상황에 맞게 채우십시오.

	상황	바라지 않았던 결과	표현
1)	요즘 눈병이 유행해서 조심했다.	눈병에 걸렸다.	눈병에 걸리고 말았다.
2)	아침에 일찍 일어나려고 했다.	늦잠을 잤다.	
3)	대학 입학시험 준비를 열심히 했다.	시험에 떨어졌다.	
4)	한국 축구 선수들이 브라질과의 경기에서 열심히 싸웠다.	브라질에 졌다.	

여러분에게 한국어를 가르쳐 줄 한국 친구가 있으면 어떨까요? 다음 표를 채우고 [보기]와 같이 언제 언어 교환 친구가 필요한지 이야기해 봅시다.

	리에	나
한국어의 어려운 점	• 한국말 발음이 아주 어렵다. • 조사를 잘못 쓰는 일이 많다.	• •

[보기]

　한국어를 공부할 때 가장 어려운 것이 발음입니다. 처음 공부를 시작했을 때는 한국어 발음이 어찌나 어려운지 포기하고 싶다는 생각도 했었습니다. 특히 받침 '/ㄴ/과 /ㅇ/'이라든가, 자음 '/ㅃ/과 /ㅍ/'같은 발음은 혼자서 열심히 연습해도 좋아지지 않았습니다. 또, '이/가', '에/에서'와 같은 조사들은 많이 연습했지만 이번 시험에서도 또 실수를 **하고 말았습니다.**

　발음이나 조사는 그때그때 고쳐 주지 않으면 실수를 했는지 잘 모르기 때문에 한국 친구가 옆에서 도와주면 한국어 실력이 금방 좋아질 것 같습니다.

조사 particle

과제 2 읽고 말하기

01 다음 글을 읽고 질문에 답하십시오.

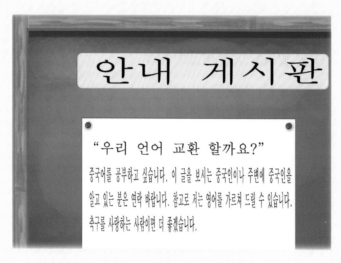

학생들은 외국어를 배우고 싶을 때 서로 언어 교환을 하기도 한다. 언어 교환을 하려면 자신이 배우고 싶은 언어와 가르쳐 줄 수 있는 언어를 써서 게시판에 붙여 상대자를 찾아야 한다. 언어 교환을 하면 자연스럽게 대화를 나누면서 틀린 표현을 고칠 수도 있고, 일상생활에서 자주 쓰는 표현도 배울 수 있다.

언어 교환의 가장 큰 장점은 무료로 언어를 배울 수 있다는 것이다. 서로 언어를 배우고 가르쳐 주는 방식이기 때문에 돈이 들지 않는다. 또 언어를 교환하면 그 언어를 모국어로 사용하는 현지인에게 직접 언어를 배우기 때문에 외국인을 만났을 때 느끼는 두려움도 덜 수 있다.

서로 언어를 교환하면서 좋은 친구를 사귀게 되는 경우도 적지 않다. 취미가 비슷한 사람들끼리 만나 공부를 하다가 영화를 같이 보러 가거나 축구 경기를 같이 관람하러 가게 되기도 한다. 그러면서 좋은 친구로 우정을 쌓기도 한다.

1) 게시판의 내용은 무엇입니까? (   )

❶ 같이 방을 쓸 친구를 구함   ❷ 동호회 회원을 구함
❸ 외국어를 배울 친구를 구함   ❹ 축구를 같이 할 친구를 구함

2) 이 글에서 말하는 언어 교환의 장점을 세 가지 이상 쓰십시오.

❶ ....

❷ ....

❸ ....

❹ ....

02 여러분은 누구와 어떤 언어를 교환하고 싶습니까? 다음 표를 채우고 다음과 같이 광고를 해 봅시다.

	제임스가 찾는 언어 교환 친구	여러분이 찾는 언어 교환 친구
교환 언어	중국어	
나이	상관없음 (비슷한 나이면 더 좋겠음)	
성별	상관없음	
언어 교환 가능 시간	월요일과 수요일 오후	
기타	축구를 좋아하는 친구면 좋겠음	

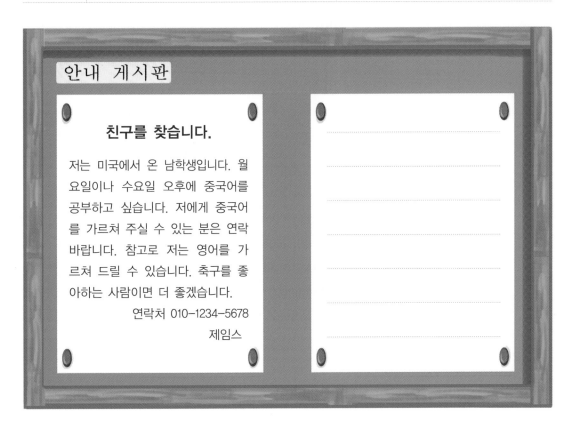

안내 게시판

친구를 찾습니다.

저는 미국에서 온 남학생입니다. 월요일이나 수요일 오후에 중국어를 공부하고 싶습니다. 저에게 중국어를 가르쳐 주실 수 있는 분은 연락 바랍니다. 참고로 저는 영어를 가르쳐 드릴 수 있습니다. 축구를 좋아하는 사람이면 더 좋겠습니다.

연락처 010-1234-5678

제임스

참고 reference   **게시판** bulletin board   **현지인** the natives   **우정** friendship   **상관없다** to have nothing to do

Dialogue

Wei	James, are you still studying Chinese these days?
James	No, I studied a bit, but I ended up giving up because pronunciation and intonation were so difficult.
Wei	Studying foreign languages is really difficult. I, too, am studying English, and it's not easy!
James	Well then, shall we do a language exchange? Because I want to learn Chinese again.
Wei	That sounds great. I also wanted to practice English a little more. So James, when do you have time?
James	I am fine for Monday or Wednesday afternoons.

문법
설명

01 어찌나 –는지/은지/ㄴ지

It is used to emphasize the action or situation in the beginning of the sentence and show that the consequence of the second part of the sentence results from it. It is attached to verb stems. Attached to action verbs is '–는지'. Attached to descriptive verbs ending with consonants is '–은지' and attached to descriptive verbs ending with vowels is '–ㄴ지'. For already finished fact '–었는지' is used.

- 어찌나 값이 비싼지 그 물건을 사는 사람이 한 명도 없었다.

  The price is so high that there was not even one person who bought that item.

- 어찌나 열심히 공부하는지 영수에게 말도 걸 수가 없었다.

  Yeongsu was studying so hard that I couldn't even talk to him.

- 우리 아이는 어렸을 때 어찌나
  예뻤는지 지나가는 사람들이 다
  한 번씩 돌아봤다.
- 결혼식장에서 어찌나 많이
  먹었는지 아직도 배가 부르다.

My child was so pretty when she/he was
small that all the people who passed by
looked around once to see her/him.
I ate so much at the wedding that I am still
full.

02 −고 말다

It is used to express that one has done an action which wasn't intended or which
shouldn't have been done. It is attached to verb stems.

- 친구의 비밀을 선생님께 말하고
  말았다.
- 값은 정말 비쌌지만 친구들이 하도
  어울린다고 해서 사고 말았다.

- 다이어트 중이었지만 너무 맛있어
  보여서 먹고 말았다.
- 지하철에 사람이 너무 많아서 옆
  사람의 발을 밟고 말았다.

I ended up telling my teacher my friend's
secret to my teacher.
Even though it was so expensive I ended
up buying it, because my friend kept telling
me how it suits me well.
It looked so delicious that I ended up
eating it even though I was on a diet.
I accidentally stepped on somebody's foot
because the subway was so crowded.

03 친한 친구한테는 말할지도 모르잖아요

학습 목표 ● 과제 고민 말하기 ● 문법 –고는, –을지도 모르다 ● 어휘 고민 · 걱정 관련 어휘

두 사람은 무슨 이야기를 하고 있습니까?
여러분의 고민을 친구에게 이야기해 본 일이 있습니까?

표정
facial
expression

어둡다
to be somber

아무
any

아무리
no matter
how

말 못할
hard to say

◀) CD2:28~29

웨이　선생님, 오늘 리에 씨가 못 온대요.

선생님　왜요? 무슨 일이 있대요?

웨이　글쎄요, 말은 안 하는데 표정이 어두운 걸 보니까 안 좋은 일이 있나
　　　봐요.

선생님　그래요? 무슨 일일까?

웨이　어제는 저와 영화를 보기로 약속했는데 점심을 먹고는 아무 말도 없이
　　　그냥 가 버렸어요.

선생님　무슨 일인지 한번 물어 보세요. 아무리 말 못할 고민이 있어도
　　　친구한테는 말할지도 모르잖아요.

어휘

01 [보기]에서 알맞은 어휘를 골라 빈칸에 쓰십시오.

[보기] 고민을 하다
걱정을 하다
문제가 생기다
충고를 하다
의견을 말하다

손님, 예약이 안 되어 있는데요.

예약에 문제가 생기다

계속 공부할까?

취직을 할까?

이번 주말까지 이 일을 다 해야 하는데…….

저는 이 문제에 대해 이렇게 생각합니다.

너 그런 점은 고치는 게 좋아.

02 빈칸에 쓸 수 있는 어휘를 [보기]에서 골라 모두 쓰십시오.

_____ 을/를 풀다		_____ 을/를 해결하다
	[보기] 걱정 고민 문제	
_____ 을/를 덜다		_____ 이/가 있다

문법 연습

-고는

01 표를 채우고 다음과 같이 문장을 만드십시오.

	먼저 한 일	예상하지 못 한 결과
1)	옷을 샀어요.	한 번도 입지 않았어요.
2)	그 식당에서 음식을 먹었어요.	배가 아파서 병원에 갔어요.
3)	그 남자와 만나기로 약속했어요.	
4)	필요 없는 것만 잔뜩 샀어요.	

1) 옷을 사고는 한 번도 입지 않았어요.

2)   .

3)   .

4)   .

-을지도/ㄹ지도 모르다

02 그림을 보고 다음과 같이 대화를 완성하십시오.

❶

가 : 와, 내가 제일 좋아하는 붕어빵이네.
　　그런데 두 개 밖에 안 샀어?

나 : 응, 난 네가 싫어할지도 몰라서 ~~어서~~
　　~~/아서/여서~~ 조금만 샀지.

❷

가 : 여행 갈 준비는 다 됐니?
　　＿＿＿＿＿＿＿＿＿＿＿＿＿으니까/니까
　　비상금도 따로 챙겨 둬라.

나 : 걱정마세요, 엄마. 잘 다녀올게요.

❸

가 : 어제 전화한다고 하고는 왜 전화
　　안 했어?

나 : 어, 미안해. 어제 집에 좀 늦게 들
　　어갔거든.＿＿＿＿＿＿＿＿＿＿
　　어서/아서/여서 전화 안 했지. 많이
　　기다렸어?

❹

가 : 어딜 그렇게 서둘러 가? 무슨 일 있어?

나 : 오늘 어머니가 오시기로 했는데 일
　　이 생각보다 늦게 끝났어. 어머니가
　　＿＿＿＿＿＿＿＿＿＿＿＿＿어서/아서
　　/여서 서둘러 가는 길이야.

과제 1 　쓰기

여러분은 친구 때문에 고민한 일이 있습니까? 표를 채우고 다음과 같이 고민을 털어 놓고 싶은 사람에게 이메일을 써 봅시다.

고민 내용	내가 한 일
• 좋아하는 여자 친구가 있는데 요즘 표정이 어둡고 결석이 많다. • 어제는 영화를 보기로 **약속을 하고는** 아무 말도 없이 가 버렸다.	• 기분을 **상하게 할지도 몰라서** 아무 말도 안 했다.
•	•
•	•

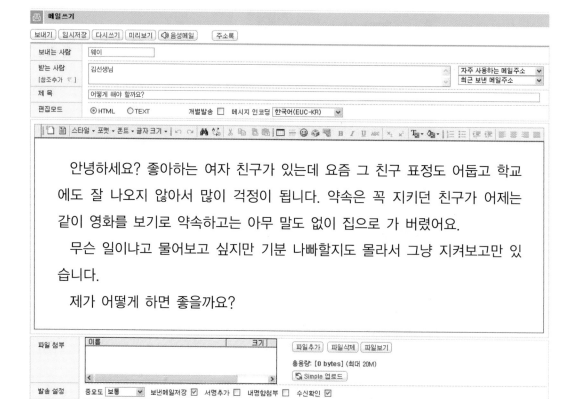

Communication Service@YONSEI　　　　　　　　　　▷ 공지사항 ▷ Q&A ▷ 도움말 ▷ 로그아웃

메일쓰기

[보내기] [임시저장] [다시쓰기] [미리보기] [◁》음성메일]　　[주소록]

보내는 사람		
받는 사람 [참조추가 ▽]		자주 사용하는 메일주소 ∨ / 최근 보낸 메일주소 ∨
제 목		
편집모드	◉HTML ○TEXT　　개별발송 ☐　메시지 인코딩 한국어(EUC-KR) ∨	

[스타일 ▾ 포맷 ▾ 폰트 ▾ 글자 크기 ▾] | ⟳ ⟲ | 🔍 | ✂ 📋 📋 | ⊞ — 😊 🗿 🏳 | B I U ABC | x₂ x² | T ▾ ✎ ▾ | ⫴ ⫶ ⫴ ⫶ | ≡ ≡ ≡ ≡

파일 첨부	이름　　　　　　　　　　　　　　　　크기	[파일추가] [파일삭제] [파일보기]
		총용량: [0 bytes] (최대 20M)
	◀　　　　　　　　　　　　　　▶	[⟲ Simple 업로드]
발송 설정	중요도 [보통 ∨] 보낸메일저장 ☑ 서명추가 ☐ 내명함첨부 ☐ 수신확인 ☑	
예약 설정	☐ [∨]년 [∨]월 [∨]일 [∨]시 [∨]분	
회신 주소		

[보내기] [임시저장] [다시쓰기]

(기분이) 상하다 to be hurt (a person's feeling)

01 다음을 읽고 질문에 답하십시오.

> 친구에게
>
> 안녕? 잘 지내지?
> 이제 가을이다. 밖의 산과 들이 아주 예쁜 색으로 바뀌었어.
>
> 이제 곧 너도 졸업이겠구나. 졸업하고 뭐 할 거야? 계획은 있어?
> 나는 여기서 공부를 계속하려고 했는데 얼마 전 선생님에게서 좋은 일자리를 추천받았어. 내 적성에도 맞을 것 같고 보수도 적은 편은 아니야. 그래서 공부를 계속 할지 취직을 할지 고민하고 있어.
> 요즘 취직하기도 어려운데 나는 행복한 고민을 하고 있다는 거 알아.
> 하지만 지금 공부를 그만두면 앞으로 후회하게 될지도 모르잖아.
> 어떻게 하면 좋을까? 만약에 네가 나라면 어떤 선택을 하겠니?
>
> 답장 기다릴게.
>
> 서울에서 리에가

1) 리에 씨의 고민은 무엇입니까?

2) 여러분이 리에 씨 친구라면 어떻게 조언해 주시겠습니까?

02 여러분의 친구는 어떤 고민을 하고 있는지 조사해 봅시다. 그 친구에게 어떻게 조언할지 표에 쓰고 [보기]와 같이 편지를 써 봅시다.

친구 이름	고민 내용	여러분의 조언
리에	• 한국어 공부가 끝나면 한국 대학에서 공부를 더 하고 싶어한다. • 학교 선생님이 인터넷 관련 회사에 추천을 해 주셔서 취직이 되었다. • 공부도 하고 싶고 회사도 포기하고 싶지 않아 요즘 고민이다.	• 두 가지를 같이 해 보세요. • 취직과 공부 중에 더 중요하다고 생각하는 것을 하세요. • 지금이 아니면 할 수 없는 일을 하세요.
	• • •	• • •

[보기]

리에에게

　그동안 잘 있었어? 소식 많이 기다렸지? 미안해. 급한 일이 있어서 연락이 늦었어.

　우선 축하부터 할게. 취직되었다면서? 그런데 공부도 하고 싶다고? 두 가지를 같이 할 수는 없을까? 그런 방법이 있나 한번 찾아보는 것도 좋겠다.

　그런데 하나를 선택해야 한다면, 지금 너에게 가장 중요한 것이 무엇인지 생각해 봐. 공부를 지금 꼭 계속해야 할 필요성, 또는 취직을 지금 꼭 해야 할 필요성을 생각해서 비교하면 좋은 생각이 날 거야. 지금 하지 않으면 다시 못할 것 같은 게 어떤 것일 것 같아? 그런 것이 있다면 지금 해야 하지 않을까? 내 답장이 너에게 도움이 되었으면 좋겠다.

　그럼 다음에 또 쓸게.

부산에서 친구가

적성 aptitude

Dialogue

Wei	Teacher, Rie said that she cannot come today.
Teacher	Why not? Is something wrong with her?
Wei	Well, she didn't say anything but her face looked so somber that it seems like something bad has happened to her.
Teacher	Really? I wonder what has happened.
Wei	She had an appointment to see a movie with me yesterday but she just left after lunch without saying anything.
Teacher	Try to ask her! No matter how difficult the problem is to talk about, you never know if she would to talk about it to a close friend.

문법 설명

01 -고는

It is used to express an unexpected action or a change in the situation that occurred after an action that happened in the first clause. It is attached to verb stems.

• 결혼을 하고는 성격이 달라졌다.	The character has changed after marriage.
• 그 시디(CD)를 사고는 한 번도 듣지 않았다.	I haven't listened to the CD even once after I bought it.
• 내 친구는 그 책을 읽고는 영화감독이 되겠다고 한다.	After reading the book, my friend says that he wants to become a film director.
• 여자 친구가 반지를 받고는 한참 동안이나 아무 말이 없었다.	My girlfriend didn't say anything for a while after she has received the ring.

02 -을지도/ㄹ지도 모르다

It is used when one can assume a situation but is not sure about it. It is attached to verb stems. Attached to action verbs and descriptive verbs ending with consonants is '-을지도 모르다' and attached to action verbs and descriptive verbs ending with vowels is '-ㄹ지도 모르다'. For already finished actions the ending is '-었을지도 모르다'.

- 그 사람이 외국 사람일지도 몰라서 영어로 물어봤다.

  I asked in English as a precaution because I didn't know whether that peron was a foreigner.

- 선생님이 댁에 안 계실지도 몰라서 가기 전에 전화를 했다.

  Before I went to my teacher's house I called him because I didn't know if he/she was at home.

- 비가 올지도 몰라서 하루종일 우산을 들고 다녔다.

  I carried my umbrella with me all day long because I didn't know whether it would rain.

- 음식이 상했을지도 몰라서 뚜껑을 열고 냄새를 맡아 봤다.

  I opened the pot and smelled the food because I didn't know whether it was spoiled.

04 한국 대학교에 입학하고 싶은데요

학습 목표 ● 과제 상담하기 ● 문법 −으면 되다, 이라서 어휘 상담 관련 어휘

이 사람은 지금 어디에 있습니까?
여러분은 상담실을 이용해 본 일이 있습니까?

입학하다
to enter a
school

원서
application
form

접수 시키다
to submit

성적표
school record

면접시험
an interview

그밖에
besides

CD2:30~31

마리아 선생님, 한국 대학교에 입학하고 싶은데 어떻게 해야 해요?

선생님 먼저 입학 원서를 접수 시키고 입학시험을 봐야 해요.

마리아 원서만 내면 돼요?

선생님 학교마다 다른데, 고등학교 성적표와 자기 소개서도 필요해요.
면접시험도 봐야 하고요.

마리아 그밖에 준비할 것은 없나요?

선생님 아, 마리아 씨는 외국인이라서 한국어 시험도 봐야 해요.

어휘

01 [보기]에서 알맞은 어휘를 골라 빈칸에 쓰십시오.

[보기] 상담실 　　　 상담 교사 　　　 조언 　　　 신청서 　　　 상담하다	어떤 문제에 대해서 도와 줄 수 있는 사람과 이야기 하다 상담하다	다른 사람의 문제를 해결 하는 데 도움이 되는 말
상담하는 장소 	상담해 주시는 선생님 	신청할 때 써야 하는 서류

02 학교 상담실에서 상담을 하려고 합니다. [보기]에서 알맞은 어휘를 골라 빈칸에 쓰십시오.

[보기]　상담실　　　상담 교사　　　조언　　　신청하다　　　상담하다

상담할 을/ㄹ 문제가 생기다　→　_____ 에 가다

→　상담을 _____　→　_____ 을/를 만나다

→　문제를 이야기하다　→　상담 교사의 _____ 을/를 듣다.

→　문제를 해결하다

문법 연습

–으면/면 되다

01 다음 표를 채우고 [보기]와 같이 옆 사람과 대화하십시오.

질문 내용	질문	대답
창문 여는 방법	이 창문은 어떻게 열어요?	손잡이를 아래로 내려서 앞으로 당기면 돼요.
진급 조건	4급에 올라가려면 시험 점수를 몇 점 받아야 해요?	
국제 전화 거는 방법		
애인의 조건		

[보기] 가 : 이 창문은 어떻게 열어요?

나 : 손잡이를 아래로 내려서 앞으로 당기면 돼요.

이라서/라서

02

관계있는 것을 연결하고 다음과 같이 문장을 만드십시오.

1) 외국 사람이다 • • 날마다 비가 와요.

2) 방학이다 • • 한국말을 잘 못 해요.

3) 장마철이다 • • 계단으로 올라갔어요.

4) 엘리베이터가 수리 중이다 • • 학교에 학생들이 없었어요.

1) 외국 사람이라서 한국말을 잘 못 해요.

2) _____ .

3) _____ .

4) _____ .

한국의 대학교에 입학하려면 다음과 같은 과정이 필요합니다. 여러분 나라의 대학에 입학하려면 어떻게 해야 합니까? [보기]와 같이 옆 친구와 이야기해 봅시다

> 입학 원서 접수 → 서류 심사 → 면접시험 → 합격자 발표
> → 오리엔테이션 → 한국어 능력 시험 (외국인) → 등록금 납부

[보기]

마리아 : 한국 대학교에 입학하려면 어떻게 해야 해요?

선생님 : 먼저 입학 원서를 접수 시키고 졸업 증명서와 성적 증명서만 **내면 돼요.**

마리아 : 다른 시험은 보지 않나요?

선생님 : 아니요, 면접시험도 볼 거예요.

　　　　면접시험에 합격하면 입학할 수 있어요.

마리아 : 한국어 시험은 따로 안 보나요?

선생님 : 마리아 씨는 **외국인이라서** 한국어 시험을 봐야 해요.

　　　　한국어 시험이 5급 이하이면 "한국어 글쓰기" 수업을 들어야 해요.

심사 screening　　**합격자** a successful candidate　　**등록금** tuition fee　　**납부** payment

과제 2 듣고 말하기 [CD2:32]

01 대화를 듣고 질문에 답하십시오.

1) 이 대화에 대해서 맞는 것을 고르십시오. (　　　　)

❶ 남자는 여자에게 언어 교환을 하자고 부탁한다.
❷ 남자는 평소에 상담실을 자주 이용하는 편이다.
❸ 여자는 남자에게 상담실을 이용하는 방법을 설명한다.
❹ 두 사람은 같이 학교 상담실에 가서 상담 선생님을 만날 것이다.

2) 들은 내용과 같으면 O 다르면 X표시를 하십시오.

❶ 남자는 여자가 취직한 것을 부러워한다.　　　　　　　　　　(　　)
❷ 상담을 하기 위해서는 먼저 상담실에 상담 신청을 해야 한다.　(　　)
❸ 여자는 졸업한 후에 대학원에 진학하여 한국학을 공부하고 싶어한다. (　　)
❹ 남자는 상담 선생님께 한국말 실력이 좋아지는 방법을 물어볼 것이다. (　　)

02 여러분은 어떤 내용을 상담하고 싶습니까? 간단하게 메모를 한 후 [보기]와 같이 이야기해 봅시다.

상담 내용	[보기]	여러분	상담자	[보기]	여러분
진학	✔		부모님		
학교생활			담임 선생님		
한국 생활			상담 선생님	✔	
친구 관계			친구		
취업			선배		
공부			형제		
기타 _____			기타 _____		

[보기]

　저는 요즘 대학원 진학에 대해 생각하고 있습니다. 저는 한국에 오기 전에 대학교에서 경영학을 전공했는데, 대학원은 한국에서 다니고 싶습니다. 한국에서 대학원에 진학하려면 어떻게 해야 하는지 상담 선생님께 여쭈어 보고 싶습니다.

한국학 Korean Studies　**용지** a blank paper　**당장** immediately　**취업** employment　**담임 선생님** class teacher

Dialogue

Marie	Teacher, I want to go to a university in Korea, so what should I do then?
Teacher	First, you have to submit an application form and then take an exam.
Maria	Is it ok if I submit only the application form?
Teacher	Each university is different, but your high school record and a self introduction are needed.
Maria	Besides that, is there anything else that I have to prepare?
Teacher	Oh, Maria, you also have to take a Korean language exam because you are a foreigner.

문법
설명

01 -으면/면 되다

It is used when one is satisfied after a certain action is done or a certain situation is fulfilled. It is attached to verb stems. Attached to action verbs or descriptive verbs ending with consonants is '-으면 되다' and attached to action verbs or descriptive verbs ending with vowels is '-면 되다'.

- 책상을 여기에 놓으면 됩니까?
- 여기에다가 이름만 쓰면 돼요?
- 가 : 이 라디오는 어떻게 켜요?
  나 : 거기 보이는 버튼만 누르면 돼요.

Is it ok if I leave the desk here?
Is it ok if I write just my name here?
A : How do I turn on this radio?
B : You just need to push that button there.

● 가 : 외국인 노래 자랑 대회는
　　　아무나 참가할 수 있어요?
　　나 : 네, 외국인이면 돼요.

● 가 : 그 하숙집은 좀 비싼데,
　　　괜찮아요?
　　나 : 네, 좀 비싸도 학교하고
　　　가깝기만 하면 돼요.

A : Can any foreign person
participate in the singing contest?
B : Yes, it is ok if you are a foreign
person.
A : That boarding house is a little
expensive, is it still ok?
B : Yes, even though it is a little more
expensive, it is fine as long as it
is close to school.

02 이라서/라서

It is used when the first situation is the cause for the following action or situation.
It is attached to nouns.

● 저는 고등학생이라서 술을 못 마셔요.

I can't drink alcohol because I am a
high school student.

● 요즘 시험 기간이라서 모두 바빠요.

Everybody is busy because it is exam
time at the moment.

● 여름이라서 비가 많이 옵니다.

It is raining a lot because it is summer.

● 남자라서 할 수 없는 일이 있어요?

Being a man, is there anything you
cannot do?

● 회의 중이라서 전화를 받을 수 없습니다.

I can't answer the phone because I
am in the middle of a meeting.

05 정리해 봅시다

01 다음 밑줄 친 말과 바꿀 수 있는 말을 [보기]에서 찾아 쓰십시오.

> [보기] 일정   행사   진행   준비물   회원
>
> 성별   국적   고민   의견   신청하다   상담하다

　제가 든 동아리는 여러 1) 나라에서 온 사람들이 모인 봉사 동아리 입니다. 요즘은 병원에서
　　　　　　　　　　　　　　　(　　　　　)
봉사 활동을 하고 있습니다. 병원에서만 생활하는 아이들에게 친구가 되어주거나
선생님이 되어 줍니다. 우리는 아이들의 2) 힘들어하는 문제에 대해 이야기하고 어떻게
　　　　　　　　　　　　　　　　　　　　　　　(　　　　　)
하면 좋을지 우리들의 3) 생각도 이야기합니다.
　　　　　　　　　　(　　　　　)
　이번 휴가에는 동아리 4) 사람들과 지방으로 봉사 활동을 가려고 합니다. 5) 가서 무엇을
　　　　　　　　　　(　　　　　)　　　　　　　　　　　　　　　　　　(　　　　　)
할지, 또 6) 무엇을 가지고 갈지에 대해 이야기를 했습니다. 봉사는 힘들지만 참 보람있는
　　　　(　　　　　)
일인 것 같습니다.

02 다음 표현을 사용하여 대화를 완성하십시오.

> [보기] - 으면서도   - 도록 하다   어찌나 -는지   - 고 말다
>
> - 고는   -을지도 모르다   -으면 되다   이라서

　나는 부모님이 ＿＿＿＿＿＿＿＿＿＿ 한국에 오기 전에도 한국어를 조금 할 수 있었다.
　　　　　　　　　(한국 사람이다)
그렇지만 한국어는 배우면 배울수록 더 어려워진다. 오늘은 학교에서 시험을 봤는데,

＿＿＿＿＿＿＿＿＿＿＿ 한 문제도 풀 수 없었다. 배운 단어와 문형이 ＿＿＿＿＿＿＿＿ 어서/
　(어렵다)　　　　　　　　　　　　　　　　　　　　　　　　　　　　　(생각이 나다)
아서/여서 시험이 끝날 때까지 한참 들고 있었지만 결국 ＿＿＿＿＿＿＿＿. 그동안
　　　　　　　　　　　　　　　　　　　　　　　　　　　　　(포기하다)
열심히 공부하지 않았기 때문인 것 같다. 다음 주부터는 예습과 복습을 열심히 해야겠다.

03 여러분 나라의 학교생활은 한국의 학교생활과 어떻게 다른지 이야기해 봅시다.
등교 시간은 보통 몇 시입니까? 수업 분위기는 우리 교실과 어떻게 다릅니까?
점심시간은 보통 몇 시부터입니까? 또, 얼마나 됩니까? 학생들은 도시락을 싸 옵니까?

문화

한국의 학교 [CD2:33]

현재 한국에서는 초등학교 6년, 중학교 3년, 고등학교 3년, 그리고 대학교 4년의 교육을 받습니다. 초등학교에 입학하기 전에는 유치원에 다니기도 합니다. 유치원에 다니는 기간은 보통 1-2년입니다. 한국에서는 어린이가 8세가 되면 초등학교에 입학해야 합니다. 그리고 초등학교를 졸업한 학생들은 중학교 3년의 교육도 꼭 받아야 합니다.

과거에 한국에는 대표적인 초등 교육기관으로 서당, 그리고 고등 교육기관으로는 성균관이 있었습니다. 서당에서 가르치는 선생님을 '훈장'이라고 불렀습니다. 훈장과 그 가족의 생활비는 학부모들이 부담하며 봄과 가을에 곡식을 걷어서 훈장에게 드렸다고 합니다. 서당에 입학하는 날에는 술이나 닭 등의 선물을 준비해서 훈장에게 드리는 것이 예의였다고 합니다. 한국에서는 예부터 이렇게 스승을 공경하는 풍습이 있어 왔습니다. 이는 현재 5월마다 '스승의 날'을 기념하는 한국인의 마음 속에 아직도 남아 있습니다.

도산 서원

서당풍경(김홍도)

1. 여러분 나라의 학교 제도에 대해서 이야기해 봅시다.

2. 여러분 나라의 학교 제도를 한국과 비교해서 말해 봅시다.

교육 education **예의** courtesy **공경** repect **스승** teacher

제9과 부탁과 거절

01 미안하지만 음료수 좀 부탁해도 될까?

학습 목표 ● 과제 부탁하기 I　● 문법 −기는요, −느라고　● 어휘 부탁 관련 어휘 1

남자는 여자에게 뭐라고 이야기할까요?
여러분은 친구들에게 부탁을 자주 하는 편입니까?

뭐
something

갑자기
unexpectedly

밤을 새우다
to stay up all night

어쩐지
no wonder

◀)) CD2:34~35

마리아　뭐 좀 먹으러 가는 길인데 같이 갈래?

제임스　같이 가고는 싶지만 지금 남은 숙제를 해야 돼.

마리아　어제 끝낸 줄 알았는데 다 못 했어?

제임스　다 하기는. 어제 저녁에 갑자기 회사 동료가 찾아와서
　　　　이야기하느라고 거의 밤을 새웠어.

마리아　아, 어쩐지 그래서 오늘 좀 피곤해 보이는구나.

제임스　응. 미안하지만 오는 길에 음료수 좀 부탁해도 될까?

어휘

01 여러분이 친구에게 다음의 부탁을 하고 싶습니다. [보기]의 표현을 사용하여 친구에게 어떻게 부탁할지 쓰십시오.

1) 교실에서 자리를 바꾸고 싶을 때

_____

_____

5) 친구에게 무거운 가방을 들어 달라고 하고 싶을 때

_____

_____

[보기] **친구에게 책을 빌리고 싶다.**

- 미안하지만 책 좀 빌려 줄 수 있어?
- 책 좀 빌려 줄래?
- 책 좀 빌려 줘라.
- 책 좀 빌릴게.
- 그 책 좀 내가 봐도 돼?
- _____

2) 친구가 듣는 음악 소리가 너무 클 때

_____

3) 친구의 디지털 카메라를 빌리고 싶을 때

_____

4) 숙제하는 데 친구의 도움을 받고 싶을 때

_____

_____

02 [보기]에서 알맞은 단어를 골라 빈칸에 쓰십시오.

[보기]	부탁을 하다	부탁을 받다	부탁을 들어주다
	거절을 하다	거절을 당하다	

1) 내가 여행하는 동안 우리 강아지를 돌봐 달라고 친구에게 부탁을 했다 <s>었다/았다/였다.</s>

2) 친한 친구의 부탁을 _____ 는 것은 쉽지 않다.

3) 나는 어제 친구한테서 들어주기 곤란한 _____ 었다/았다/였다.

4) 하숙집 아주머니께서는 언제나 기분 좋게 _____ 는다/ㄴ다.

5) 미선 씨에게 주말에 같이 영화 보러 가자고 했다가 _____ 었다/았다/였다.

문법 연습

-기는요

01 질문에 맞는 대답을 찾아 연결하고 다음과 같이 쓰십시오.

1) 날마다 운동해요? • • 음치예요.

2) 매운 음식을 좋아해요? • • 운동은 시간이 있을 때 가끔해요.

3) 노래를 잘 하신다면서요? • • 매운 음식은 하나도 못 먹어요.

4) 지난번 시험은 쉬웠어요? • • 굉장히 어려웠어요.

1) 가 : 날마다 운동해요?

　　나 : 날마다 하기는요. 시간이 있을 때 가끔 해요.

2) 가 : 매운 음식을 좋아해요?

　　나 :

3) 가 : 노래를 잘 하신다면서요?

　　나 :

4) 가 : 지난번 시험은 쉬웠어요?

　　나 :

-느라고

02

표를 채우고 다음과 같이 쓰십시오.

	내가 하지 못한 일	이유
1)	밤에 잠을 자지 못했다.	잠을 잘 시간에 텔레비전을 봤다.
2)	숙제를 못 했다.	숙제할 시간에 친구와 술을 마셨다.
3)	회의 시간에 늦었다.	
4)	친구와 만나기로 한 약속을 못 지켰다.	

1) 텔레비전을 보느라고 밤에 잠을 자지 못했어요.

2)

3)

4)

과제 1　말하기

친구에게 부탁을 해 본 적이 있습니까? 어떻게 부탁하면 좋을까요? 그리고 부탁을 한 후에는 어떻게 인사하면 좋을까요? 다음의 상황에서 부탁하는 대화를 [보기]와 같이 만들어 봅시다.

> 1) 수업 때 필기한 노트를 빌려 달라고 부탁하기
> 2) 이사할 때 도와 달라고 부탁하기
> 3) 고향에서 온 친구를 나 대신 도와 달라고 부탁하기

[보기]

가 : 리에야, 부탁할 것이 좀 있는데.

나 : 무슨 일인데?

가 : 응, 내가 지난번에 병원에 **가느라고** 수업에 못 온 적이 있잖아.
　　그 때 수업 시간에 필기한 노트 좀 빌려 줄 수 있어?

나 : 응, 빌려 줄게. 어려운 일도 아닌데, 뭐.

가 : 정말 고마워.

나 : **고맙기는.**

필기하다 to take notes

01 대화를 듣고 질문에 답하십시오.

1) 이 대화의 제목으로 가장 적당한 것을 고르십시오.   (   )

❶ 친구에게 부탁하기   ❷ 친구와의 우정

❸ 부탁의 즐거움   ❹ 거절의 어려움

2) 들은 내용과 같으면 ○ 다르면 X표시를 하십시오.

❶ 여자는 남자에게 책을 반납해 달라고 부탁을 했다.   (   )

❷ 남자는 여자의 부탁을 들어주고 싶어하지 않는 것 같다.   (   )

❸ 남자는 시내에 나가서 여자가 부탁한 책을 사 올 것이다.   (   )

❹ 남자는 여자에게 나중에 돈을 줄 것이다.   (   )

02 여러분이 반 친구들에게 부탁하고 싶은 내용을 메모한 후 [보기]와 같이 부탁을 해 봅시다.

이름	부탁하고 싶은 내용	이유
미선 씨에게	지하 식당에서 김밥을 사다 달라고 하고 싶다.	아침을 못 먹어서 배가 고픈데 숙제를 다 못해서 지하 식당에 내려갈 시간이 없다.

[보기]   미선아, 너 지하 식당에 갈 때 내 김밥 좀 하나만 사다 줄래?
아침을 못 먹어서 배가 고픈데 숙제를 다 못해서 식당에 내려갈 시간이 없거든.
부탁 좀 할게.

한꺼번에 at once

Dialogue

Maria I am on my way to get something to eat, would you like to come?

James I would like to come with you but I have to do the rest of my homework.

Maria I thought you had finished it all yesterday. You haven't done it all yet?

James Done it all? No way. Last night I stayed up almost all night because my co-worker visited me unexpectedly and we talked.

Maria Ah! No wonder, you look a bit tired today.

James Yeah. I am sorry to ask you for the favor, but would you mind buying me a drink on your way?

문법 설명

01 −기는요

It is used to either deny or disagree to the conversation partner's statement. If it is used as a reaction to a compliment, then it can also show modesty. It is attached to verb stems.

- 가 : 한국은 3월이면 따뜻하지요? A : The weather in Korea is warm in March, isn't it?

  나 : 따뜻하기는요. 3월도 추워요. B : Warm? It is still cold in March.

- 가 : 그 책 다 읽으셨어요? A : Have you read that book all?

  나 : 다 읽기는요. 너무 어려워서 아직 반도 못 읽었어요. B : Read it all? I haven't even read half of the book because it is so difficult.

- 가 : 테니스를 참 잘 치시네요.   A : You play tennis well.
  나 : 잘 치기는요.   B : Well? No, I don't.

- 가 : 한국말 실력이 정말 좋으신데요.   A : Your Korean is very good.
  나 : 좋기는요. 아직 모르는 게 많아요.   B : Good? There are still many things I
          don't understand.

02 -느라고

It is used when due to the first action the following action cannot be done or the result is negative. It is attached to verb stems.

- 잠을 자느라고 숙제를 못했다.   I couldn't do my homework because I was sleeping.

- 책을 읽느라고 늦게 잤다.   I slept late because I was reading a book.
- 공부를 하면서 아르바이트를 하느라고 힘들다.   It is stressful because I am working while studying.
- 발표 자료를 찾느라고 바빴다.   I was busy looking for presentation material.

02 사진 좀 찍어 주실 수 있으세요?

학습 목표 ● 과제 부탁하기 II ● 문법 담화 표지, −게 ● 어휘 부탁 관련 어휘 2

두 사람은 지금 어디에 있습니까?
여러분은 모르는 사람에게 부탁을 해 본 적이 있습니까?

CD2:37~38

지나가다
to pass by

내밀다
to hand over

기린
giraffe

발짝
a step

물러나다
to move
backwards

리에　　여기에서 사진 한 장 찍고 가자. 저기 지나가는 아저씨한테 부탁해
　　　　볼까?

　　　　(지나가는 아저씨에게 사진기를 내밀며)

제임스　저, 죄송하지만 사진 좀 찍어 주실 수 있으세요?

아저씨　아, 저요? 네, 찍어 드릴게요. 이걸 누르기만 하면 돼요?

제임스　네, 뒤에 있는 기린도 나오게 찍어 주세요.

아저씨　어, 뒤로 한 발짝만 물러나시면 더 좋을 것 같은데요.

　　　　자, 이제 찍습니다. 하나, 둘, 셋.

제임스　정말 감사합니다.

어휘

01 다음 [보기]의 표현을 이용하여 처음 보는 사람이나 윗사람에게 부탁해 보십시오.

1) 처음 보는 사람에게 길을 물을 때

4) 윗사람에게 인사를 간다고 전화할 때

[보기] **지나가는 사람에게 사진 촬영을 부탁할 때**

❶ 죄송하지만, 사진 좀 찍어 주세요.
❷ 실례지만, 사진 좀 찍어 주실 수 있으세요?
❸ 죄송하지만, 사진 좀 찍어 주시겠어요?
❹ 실례지만, 사진 좀 부탁해도 될까요?
❺ 괜찮으시면 ＿＿＿＿＿＿＿＿＿＿.

2) 식당에서 자리가 없어서 모르는 사람과 같이 앉아야 할 때

3) 윗사람과의 약속 시간을 미뤄야 할 때

02 다음 상황에서 모르는 사람과 친구에게 할 부탁 표현을 써 보십시오.

❶ 휴대 전화 빌리기   ❷ 짐 들어 달라고 하기

상황	친구에게 부탁하기	모르는 사람에게 부탁하기
❶ 휴대 전화 빌리기		
❷ 짐 들어 달라고 하기		

문법 연습

아/어/음/자/저/저기/저기요/여기요/있잖아/뭐더라/글쎄요

01 다음 대화에 여러분이 알고 있는 담화 표지를 넣어 보십시오.

1) 가 : _____저_____, 선생님, 부탁드릴 게 있는데요.
   나 : 그래요? 뭔데요?

2) 가 : 오늘 점심은 어디에서 먹을까?
   나 : _____, 냉면은 어때? 요 앞에 냉면집이 새로 생겼던데 거기 가 볼까?

3) 가 : _____, 혹시 최 선생님 아니세요?
   나 : 그런데 누구신지요? _____, 미선 씨 맞지요?

4) 가 : 어제 우리가 간 식당 이름이 뭐였지요?
   나 : _____, 잘 기억이 안 나네요. 미선 씨한테 물어보세요.

-게

02 표를 채우고 다음과 같이 문장을 만드십시오.

	이렇게 해 주십시오.	이유
1)	칠판에 써 주세요.	학생들 모두 볼 수 있으면 좋겠습니다.
2)	조금만 비켜 주세요.	지나가고 싶어요.
3)	깨워 주세요.	
4)	조용히 하세요.	

1) 학생들 모두 볼 수 있게 칠판에 써 주세요.

2) _____

3) _____

4) _____

다음과 같은 상황에서 여러분은 어떻게 부탁을 드립니까? 옆 친구와 표를 채우고 [보기]와 같이 부탁해 봅시다.

상황	부탁하기
선생님께 시험을 먼저 보게 해 달라고 부탁 드리기	[보기] 웨이 : 선생님, **저**, 부탁 드릴게 있는데요. 선생님 : 뭔데요? 말씀하세요. 웨이 : **저**, 쓰기하고 듣기 시험 보는 날 출장을 가야 해서요. 말하기 시험 보는 날 쓰기하고 듣기도 같이 볼 수 있을까요? 선생님 : 그래요? 시험을 보고 가시면 안 돼요? 웨이 : 네, 회사에 급한 일이 생겨서 그날 꼭 가야 해요. 선생님 : 그래요. 그럼 좋은 방법을 찾아 봅시다.
아버지께 용돈 올려 달라고 부탁 드리기	
교수님께 취업 추천서 부탁 드리기	
기차에서 친구와 좌석이 떨어져서 옆 사람에게 좌석을 바꿔 달라고 부탁하기	

용돈 pocket money　**추천서** a recommendation letter　**떨어지다** to be separated

과제 2 읽고 쓰기

01 다음 글을 읽고 질문에 답하십시오.

> 여러분은 친구에게 부탁을 쉽게 하시나요? 또 친구의 부탁을 받으면 쉽게 들어주시나요? 다른 사람에게 부탁을 하기 힘든 것은 상대방이 거절할까 봐 걱정이 되기 때문일 것입니다.
>
> 그렇지만 다른 사람에게 부탁을 하게 되면 다른 사람들은 내가 원하는 것을 분명하게 알 수 있게 됩니다. 여러분은 무엇이든 도움을 청하고 부탁을 할 수 있습니다. 여러분이 원하는 만큼 부탁을 하면 되지요. 여러분이 원하는 방법으로 원하는 때에 무엇이든 누구에게든 부탁할 수 있습니다. 부탁을 하고 싶을 때는 내가 원하는 것이 무엇인지, 그리고 상대방에게 무리한 부탁이 아닌지 먼저 생각해 보십시오. 그리고 상대방이 부탁을 들어줄 수 있게 친절하게 부탁을 해 보십시오. 부탁에도 기술이 필요합니다. 그 기술이 무엇인지 알고 싶지 않으세요?

1) 이 글은 책 광고입니다. 무엇에 대한 책일까요? (   )

❶ 부탁의 기술   ❷ 부탁의 이유   ❸ 부탁의 조건   ❹ 부탁의 거절 방법

2) 이 글의 내용과 같으면 ○ 다르면 X표시를 하십시오.

❶ 부탁하는 데에 특별한 기술은 별로 필요하지 않다.   (   )
❷ 부탁을 했을 때 내가 원하는 것을 다른 사람이 알 수 있다.   (   )
❸ 다른 사람에게 부탁을 하기 힘든 것은 도움을 청하기 싫기 때문이다.   (   )

3) 여러분은 이 책을 사시겠습니까? 그 이유는 무엇입니까?

02 여러분이 하기 어려웠던 부탁은 무엇이었습니까? 다음 표를 채우고 [보기]와 같이 써 봅시다.

질문	[보기]	
누구에게 부탁을 했나요?	고등학교때 같은 반 친구	
무엇을 부탁했나요?	공책을 빌려 달라고 부탁했다.	
왜 그 친구에게 부탁을 했나요?	그 친구가 공부를 열심히 했기 때문에 내가 못한 부분을 보고 싶어서	
왜 그 부탁을 하기가 어려웠나요?	그 친구가 공부한 내용을 내가 모두 가지는 것이기 때문에	
친구는 뭐라고 했나요?	그래. 빌려 줄게.	

[보기]

　　나는 고등학교 때 친구에게 어려운 부탁을 한 적이 있다. 같은 반 친구였는데 그 친구에게 공책을 빌려 달라는 부탁을 했다. 그 친구는 공부를 열심히 했기 때문에 내가 못한 부분을 보고 싶어서였다. 아무리 친구여도 친구의 공책을 빌려 달라고 하는 것은 그 친구가 공부한 내용을 내가 모두 가진다는 점에서 부탁을 하기가 어려웠다. 그렇지만 친구는 아주 뜻밖에도 쉽게 공책을 빌려 주었다. 그 친구 덕분에 나는 시험을 잘 볼 수 있었다.

분명하다 to be clear　　**도움을 청하다** to ask for help　　**기술** technology　　**조건** condition

Dialogue

Rie	Let's take a photo here. Shall we ask that man passing by over there? (Handing over a camera to a man who is passing by.)
James	Er, I am sorry to ask you, but could you please take a photo for us?
Man	Ah, me? Yes, I'll take it for you. Should I just press this button?
James	Yes. Can you please take the photo of us with the giraffe behind us, too?
Man	Okay, it would be better, if you move one step backwards. Okay, I'm taking it now. One, two, three...
James	Thank you very much.

문법 설명

01 담화 표지/ Interjections

Interjections are short exclamations. They are grammatically not necessary. They are exclamations which show the speakers' hesitation or problematic situation or uncertain situation.

> [담화 표지] 아 / 어 / 자 / 저
> 저기 / 저기요 / 여기요
> 있잖아 / 뭐더라 / 글쎄요

- 가 : 기차 출발 시간이 다 되어 가는데   A : It is getting close to our departure
  제임스 씨는 어떻게 된 거지요?   time. What is James doing?

나 : 글쎄요. 제가 전화를 해 볼게요.
    아, 저기 오네요. 제임스 씨,
    여기예요.

● 가 : 어, 아침에 분명히 지갑을
      가방에 넣었는데……. 어디 갔지?

나 : 천천히 잘 찾아보세요.

● 가 : 자, 맛있는 떡볶이가 갑니다.

나 : 와, 맛있겠다.

● 가 : 있잖아, 나 너한테 부탁이
      있는데 들어줄 수 있니?

나 : 부탁이 뭔지 알아야 들어주지.
    부탁할 게 뭔데?

B : Well, I will try to call him. Ah, there
    he is. James, we are here.

A : Arrah! I put my purse into the bag for
    sure, but where is it now?

B : Take time and look for it thoroughly.

A : Here comes delicious ddukbokki!

B : Wow, it looks delicious.

A : Umm..., can I ask you for a favor?

B : I can do you a favor only if I know
    what the favor is. What is the favor
    you are asking for?

02 −게

It is used to show the purpose to initiate an action. It is attached to an action verb stem.

● 휠체어가 지나가게 길 좀 비켜
    주세요.

● 그 식당 좀 찾아가게 약도 좀
    그려줘.

● 제시간에 도착하게 일찍 나갑시다.

● 아이들이 만지지 않게 주의해
    주십시오.

● 찌개 좀 덜어 먹게 개인 접시 좀
    주세요.

Please move aside so that the wheelchair
can pass by.

Please draw me a map of the restaurant,
so that I can find it.

Please let's leave early so that we can
arrive on time.

Please be careful so that your children do
not touch it.

Please give us small plate so that we can
portion out the stew.

03 어떻게 하지요? 어려울 것 같은데요

학습 목표 ● 과제 거절하기 I ● 문법 –다니, –게 하다 ● 어휘 거절 관련 어휘 1

두 사람은 무슨 이야기를 합니까?
여러분은 친구의 부탁을 거절한 일이 있습니까?

발표
presentation

순서
order

지방
countryside

CD2:39~40

웨이　　저, 마리아 씨, 부탁이 좀 있는데요, 들어줄 수 있어요?

마리아　무슨 부탁인데요?

웨이　　제가 다음 주에 발표를 할 수 없는데, 발표 순서를 저하고 바꿔 줄 수 있어요?

마리아　발표를 못 하다니 무슨 일이 있어요?

웨이　　회사 일 때문에 지방 출장을 가야 해서요.

마리아　어떻게 하지요? 저도 다음 주에는 중요한 시험이 있어서 어려울 것 같은데요.

웨이　　그래요? 그럼 다른 친구한테 부탁해 볼게요. 신경쓰게 해서 미안해요.

어휘

01 여러분이 친구의 부탁을 거절해야 합니다. [보기]와 같이 여러 가지 표현들을 사용하여 말해 봅시다.

1) 친구 : 저, 미안한데, 이번 주말에 네 노트북 컴퓨터 좀 빌릴 수 있니?

   나 : _____

2) 친구 : 어제 너무 바빠서 보고서를 못 썼는데, 오늘 좀 도와줄 수 있어?

   나 : _____

3) 친구 : 야, 정말 미안한데 일주일 정도만 너희 하숙집에서 같이 지내면 안 될까?

   나 : _____

4) 친구 : 오늘 저녁에 같이 영화 보러 갈래?

   나 : _____

02 빈칸에 쓸 수 있는 어휘를 [보기]에서 골라 모두 쓰십시오.

[보기] 어렵다   힘들다   안 되다   불가능하다

1) 친한 친구의 부탁은 거절하기가 <u>어렵다</u> 는다/~~ㄴ다/다~~.

2) 건물 안에서 담배를 피우면 _____ 는다/ㄴ다/다.

3) 현재의 기술로는 보통 사람들이 달나라에서 사는 것이 _____ 는다/ㄴ다/다.

4) 학교에 다니면서 매일 새벽마다 신문 배달하기가 _____ 는다/ㄴ다/다. 이번 달 까지만 하고 그만두어야겠다.

문법 연습

-다니/이라니

01 다음 표를 채우고 '-다니'를 사용해 문장을 만드십시오.

	놀랄 만한 사실	하고 싶은 말
1)	한여름에 눈이 온다.	믿을 수가 없다.
2)	떡볶이 1인분에 10,000원이다.	비싸서 사 먹을 수가 없다.
3)	방학인데 학교에 간다.	
4)	제임스 씨가 장학금을 받는다.	

1) 한여름에 눈이 오다니 믿을 수가 없다.

2)

3)

4)

02

─게 하다

여러분이 어렸을 때 여러분의 어머니는 여러분에게 무엇을 하게 하셨습니까? 또 무엇을 하지 못하게 하셨습니까? 다음 표를 채우고 문장을 만드십시오.

1)	어머니가 먹지 말라고 한 음식은 무엇입니까?	사탕
2)	꼭 먹으라고 한 음식은 무엇입니까?	
3)	혼자서 가지 말라고 한 곳은 어디입니까?	
4)	하지 말라고 한 일은 무엇입니까?	

1) 어머니는 나한테 사탕을 먹지 못하게 하셨다.

2)

3)

4)

과제 1	말하기

여러분의 친구가 다음과 같은 부탁을 했습니다. 들어줄 수 있는 부탁과 거절하고 싶은 부탁을 표시해 보십시오. 부탁을 거절할 때 어떻게 말하면 좋을지 [보기]와 같이 옆 친구와 대화해 봅시다.

친구의 부탁	승낙	거절
주말에 컴퓨터를 빌리고 싶어요.		✔
일주일 정도 방을 같이 썼으면 좋겠어요.		
돈을 좀 빌려 주세요.		
아르바이트를 며칠 동안 대신해 줄 사람이 필요해요.		

[보기]

웨이 : 리에 씨, 저 부탁할 게 좀 있는데요. 주말에 노트북 좀 빌릴 수 있을까요?

리에 : 노트북을 **빌려 달라니** 웨이 씨 컴퓨터는 어쩌고요?

웨이 : 고장나서 수리를 맡겼는데 좀 오래 걸린다고 해서요.

　　　월요일까지 해야 하는 일이 있는데 피시(PC)방에서 하기는 좀 힘들거든요.

리에 : 미안하지만 저도 이번 주말에 꼭 써야 해서 빌려 주기 힘들겠는데요.

　　　어떻게 하지요?

웨이 : 괜찮아요. **귀찮게 해서** 미안해요. 다른 사람한테 물어볼게요.

승낙 approval

01 대화를 듣고 질문에 답하십시오.

1) 이 대화에서 나온 책의 제목으로 가장 적당한 것을 고르십시오. (   )

❶ 거절의 기쁨을 느끼려면?   ❷ 거절을 잘 하려면?

❸ 거절과 승낙을 잘 하는 법   ❹ 부탁을 잘 하는 방법

2) 들은 내용과 같으면 ○ 다르면 X표시를 하십시오.

❶ 남자가 읽은 책은 콤플렉스에 관한 것이다.   (   )

❷ 남자는 곤란한 부탁을 받으면 쉽게 거절하는 성격이다.   (   )

❸ 여자는 평소에 부탁을 받으면 거절하기 어려워하는 성격이다.   (   )

❹ 이 책에는 부탁을 받으면 마음 편하게 승낙하는 것이 좋다고 쓰여 있다. (   )

02 여러분은 부탁 받은 것을 거절한 일이 있습니까? 다음 표를 채우고 [보기]와 같이 그 내용에 대해 이야기해 봅시다.

부탁한 사람	부탁 받은 내용	승낙/거절	어떻게 말했나요?
하숙집 친구	주말에 노트북 컴퓨터를 빌려 달라고 했다.	거절했다.	"정말 미안한데, 이번 주말에 보고서를 써야 해서 컴퓨터를 빌려 줄 수가 없어. 다음 주에는 괜찮은데. 어쩌지?"

[보기]

    얼마 전에 하숙집 친구에게서 주말에 내 노트북 컴퓨터를 빌려 달라는 부탁을 받았다. 그런데 나는 그 부탁을 들어줄 수 없었다. 왜냐하면 주말에 나도 보고서를 써야 해서 컴퓨터를 사용해야 했기 때문이다. 그래서 친구에게 "정말 미안한데, 이번 주말에 보고서를 써야 해서 컴퓨터를 빌려 줄 수가 없어. 다음 주에는 괜찮은데. 어쩌지?" 라고 말했다. 친구는 웃으면서 괜찮다고 했다.

이기적이다 to be selfish **한계** limit **파악하다** to grasp **쩔쩔매다** to be at a loss

Dialogue

Wei   Well, Maria, I have a favor to ask. Could you do it for me?

Maria   What kind of favor is it?

Wei   I cannot do the presentation next week, so can we switch the presentation order?

Maria   Do you mean you can't do the presentation? What happened?

Wei   I have to go on a business trip to the countryside for my company.

Maria   What should I do? I also have a very important exam next week so I'm afraid it would be difficult for me.

Wei   Really? Then I'll ask another friend. I am sorry to bother you.

문법 설명

01 −다니/이라니

It is used when one sees or hears a situation which can be surprising or admirable. Attached to action verbs or descriptive verbs is '−다니' and after nouns ending with consonants '이라니' is used and after nouns ending with vowels '라니' is used.

- 그분이 일본 사람이라니 너무 놀랍다.

  It is very surprising that this person is Japanese.

- 그렇게 건강하던 사람이 아프다니 믿을 수가 없어요.

  I can't believe that someone who was so healthy is now sick.

- 가게 문을 8시에 닫다니 너무 일찍 닫는 거 아니에요?
- 좋은 일을 이렇게 많이 하시다니 놀랍습니다.

Isn't it too early to close the shop at 8 o'clock?
I am positively surprised that you are doing so many good deeds.

02 –게 하다

It is used when one wants to make another person do something or if one wants to make her/him be in a certain situation. It is attached to an action verb stem.

- 그 사람은 항상 나를 화나게 한다.
- 친구를 오랫동안 기다리게 해서 미안했다.
- 어렸을 때 어머니는 텔레비전을 가까이에서 못 보게 하셨다.
- 할머니가 아이에게 혼자 옷을 입게 했다.

This person always makes me angry.
I felt sorry to have kept my friend waiting for a long time.
My mother didn't let us watch TV from a close distance when we were children.
The grandmother made the child get dressed by herself/himself.

04 좀 곤란할 것 같은데요

학습 목표 ● 과제 거절하기 II ● 문법 –는다지요?, –을 건가요? 어휘 거절 관련 어휘 2

두 사람은 무슨 이야기를 하는 것 같습니까?
여러분은 윗사람의 부탁을 거절한 적이 있습니까?

거래처
a business connection

귀하다
to be precious

마중을 나가다
to go out and meet someone

통역
interpretation

곤란하다
to be difficult

🔊 CD2:42~43

웨이　　과장님, 이번 일요일에 중국 거래처에서 손님이 오신다지요?

과장님　네, 귀한 손님들이 오시는 거니까 신경 써서 준비해 주세요.

웨이　　과장님도 공항에 마중 나가실 건가요?

과장님　네, 그렇지 않아도 웨이 씨한테 부탁을 하려고 했어요. 혹시 그날 저녁에 통역을 해 줄 수 있어요?

웨이　　일요일 저녁이요? 그 땐 좀 곤란할 것 같은데요. 중요한 선약이 있어서요.

과장님　그래요? 그럼 다른 사람을 찾아보지요.

어휘

01 다음 [보기]의 표현을 사용하여 별로 친하지 않은 사람이나 윗사람의 부탁을 거절해 보십시오.

[보기]
- 그랬으면 좋겠는데
- 도와드리고 싶지만
- 말씀은 감사하지만
- 죄송합니다.
- 다음에 기회가 있으면,
- 생각해 보겠습니다. 다음에 연락 드릴게요.

1) 직장 동료 : 이 일을 내일까지 끝내야 하는데 시간이 부족해요. 도와줄 수 있어요? 나 :	2) 직장 상사 : 다음 주말에 우리 집에서 생일 파티를 하려고 하는데 오실 수 있지요? 나 :
3) 소개받은 : 좋은 영화가 있는데 함께 남자/여자 보시겠어요? 나 :	4) 학교 선배 : 이번에 좋은 아르바이트가 생겼는데 한번 해 볼래? 나 :

02 다음 호칭은 언제 사용할까요? [보기]에서 알맞은 어휘를 골라 빈칸에 쓰십시오.

[보기] 사장님   사모님   (이)과장님   이 과장   오정희 씨   정희 씨   정희야

문법 연습

-는다지요?/ㄴ다지요?/다지요?

01 다음 뉴스를 읽고 대화를 완성하십시오.

어제 강릉 지방에 갑자기 내린 눈으로 출근길 시민들이 큰 불편을 겪었습니다. 교통사고가 많이 발생한 데다가 계속 내리는 눈 때문에 강릉 시내 일부 도로는 자동차가 다니지 못하고 있습니다. 기상청은 오늘 1~3㎝의 눈이 내렸고, 내일 아침까지 2~6㎝의 눈이 더 내릴 것으로 예보했습니다.

웨이 : 미선 씨, 어제 강원도에 눈이 많이 1) <u>왔다지요?</u>

미선 : 네, 저도 뉴스에서 봤어요.

웨이 : 사람들이 많이 2) _____?

미선 : 네, 갑자기 눈이 많이 내렸으니까요.

웨이 : 교통사고도 많이 3) _____?

미선 : 네, 그렇대요.

웨이 : 내일도 눈이 4) _____?

미선 : 네, 내일도 많이 올 거래요. 눈이 오면 불편한 일이 많기는 하지만 저는 서울에도 눈이 왔으면 좋겠어요.

−을/ㄹ 건가요?

02 여러분이 직원이 되어 다음 표를 채우고 대화를 완성하십시오.

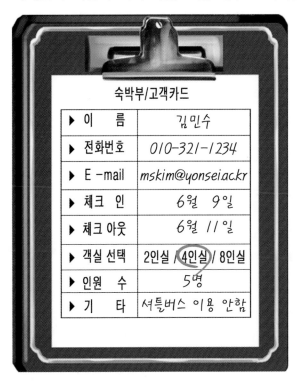

숙박부/고객카드

▶ 이 름	김민수
▶ 전화번호	010-321-1234
▶ E -mail	mskim@yonsei.ac.kr
▶ 체크 인	6월 9일
▶ 체크 아웃	6월 11일
▶ 객실 선택	2인실 / 4인실 / 8인실
▶ 인원 수	5명
▶ 기 타	셔틀버스 이용 안함

직원 : 연세 펜션입니다.

손님 : 저, 방을 예약하려고 하는데요.

직원 : 언제 1) **이용하실 건가요?**

손님 : 이번 주 금요일이요.

직원 : 며칠 동안 2) _____?

손님 : 이틀이요.

직원 : 어느 객실을 3) _____?

손님 : 아이들까지 다섯 명인데 어떤 방이 좋을까요?

직원 : 4인실이 좋을 것 같은데 예약해 드릴까요?

손님 : 네, 그렇게 해 주세요.

직원 : 그리고 기차역에서 펜션까지 셔틀버스가 있는데 4) _____?

손님 : 아니요, 괜찮습니다.

과제 1 말하기

여러분은 어떤 부탁을 받았을 때 가장 곤란합니까? 곤란한 순서대로 번호를 써 보고, 가장 곤란한 상황을 옆 친구와 [보기]와 같이 대화해 봅시다.

1) 처음 본 사람이 공항에서 가방을 들어 달라는 부탁   (   )

2) 연극 대회에서 장기 자랑을 해 달라는 선생님의 부탁   (   )

3) 선배 대신에 적은 보수로 아르바이트를 해 달라는 부탁   (   )

4) 큰 돈을 빌려 달라는 친구의 부탁   (   )

5) 여행 간 동안 강아지를 돌봐 달라는 부탁   (   )

[보기] **연극 대회에서 장기 자랑을 해 달라는 선생님의 부탁**

선생님 : 이번 연극 대회에서 리에 씨가 장기 자랑을 하면 좋을 것 같은데
　　　　할 수 있겠어요?

나　　　: 장기 자랑이요?

선생님 : 리에 씨가 바이올린 연주를 아주 잘 한다고 들었거든요.

나　　　: 아, 그래요? 연극 대회는 언제 **할 건가요?**

선생님 : 다음 주 수요일에요.

나　　　: 어떻게 하지요, 선생님? 말씀은 감사하지만 곤란할 것 같아요.
　　　　악기를 다음 주말에 동생이 고향에서 가지고 오기로 했거든요.
　　　　정말 죄송합니다.

01 다음 글을 읽고 질문에 답하십시오.

내가 뭘 잘못한 걸까?

12월 21일 날씨 맑음

지난 주말에 동아리 친구에게서 전화를 받았다. 만난 지 얼마 되지 않아 별로 친하다고 생각하지 않았는데 비디오카메라를 빌려 달라고 했다. 그 친구는 크리스마스 파티 때 비디오카메라를 쓸 일이 있는 것 같았다. 그 비디오카메라는 오랫동안 아르바이트를 해서 산 것이고 나도 아직 써 보지 않아서 빌려 주고 싶지가 않았다. 그래서 싫다고 했는데 친구는 기운 없는 목소리로 짧게 인사를 하고는 전화를 끊었다.

그리고 오늘 동아리 방에서 그 친구를 만났는데 나를 보고도 인사를 하지 않았다. 내가 먼저 말을 걸었는데도 대답도 성의가 없어 보였다. 내가 뭘 잘못한 걸까?

1) 친구의 부탁은 무엇이었습니까?

2) 동아리 친구가 인사를 안 한 이유가 무엇이라고 생각하십니까?

3) 여러분이라면 어떻게 거절하시겠습니까? 다음 중 하나를 골라 보십시오. (   )

❶ 빌려 주고 싶지만 그건 좀 곤란해.
❷ 어떻게 하지? 나도 써야 하는데.
❸ 미안해. 다른 사람이 벌써 빌려 갔어.
❹ 다음에 기회가 있으면 빌려 줄게. 이번에는 안 되겠어.
❺ 기타 _____.

4) 여러분 나라에서는 이런 경우에 보통 어떻게 합니까?

02 여러분도 위와 같은 경험이 있습니까? 무엇 때문이었습니까? 어떻게 대답하셨습니까? 친구들에게 이야기해 봅시다.

기운이 없다 to have no energy **성의가 없다** to be insincere

Dialogue

Wei	Chief, I heard that there are clients coming from our business connection in China this Sunday?
Head of Department	Yes, because these important clients are coming, please pay careful attention and prepare appropriately.
Wei	Chief, will you also go out and meet them at the airport?
Head of Department	Yes, I was also intending to ask a favour of you. By any chance, would you please be able to interpret on the evening of that day?
Wei	Sunday evening? That time would be quite difficult. It's because I have an important pre-arranged appointment.
Head of Department	Is that so? If so, then I guess I should find someone else.

문법
설명

01 −는다지요?/ㄴ다지요?/다지요?

This expression is used when one asks the conversation partner to confirm a fact which one has heard from another person, already convinced that the conversation partner knows it already. It is attached to verb stems. Attached to the action verb with a consonant ending is '−는다지요? and attached to the action verb with a vowel ending is '−다지요?'. After descriptive verbs the ending is '−다지요?' and after the noun '이라지요 is used. For already finished action the ending is '−었다지요'.

• 그분 남편이 의사라지요?	Is it true that her husband is a doctor?
• 그 대학에는 외국 학생이 많다지요?	Is it true that this university has many students?
• 거기는 눈이 많이 온다지요?	Is it true that it snowed a lot there?
• 그 사고로 사람들이 많이 다쳤다 지요?	Is it true that many people got injured through the accident?

02 −을/ㄹ 건가요?

This expression is used as a question form to conform a schedule or a plan. It is attached to an action verb stem.

• 가 : 사진을 언제 찾으러 오실 건가요?	A : When will you come to pick up the photos?
나 : 내일 가려고 하는데요.	B : I will pick them up tomorrow.
• 가 : 이 책 오늘 읽으실 건가요?	A : Are you going to read this book today?
나 : 아니에요. 먼저 보세요.	B : No, you can read it first.
• 가 : 다음 주에는 김 교수님께서 직접 강의를 하실 건가요?	A : Is Professor Kim going to give the lecture by himself next week?
나 : 아마 그러실 거예요.	B : It is likely that he is going to.
• 가 : 어느 분이 입으실 건가요?	A : Who will wear this ?
나 : 저희 아버님께서 입으실 건데요.	B : My father will wear it.

05 정리해 봅시다

01 [보기]에서 부탁, 승낙, 거절의 표현을 찾아 번호를 쓰십시오.

❶ 미안하지만 이것 좀 도와줄래요?

❷ 이것 좀 도와줄 수 있어?

❸ 이것 좀 도와줘.

❹ 죄송하지만 이것 좀 도와주세요.

❺ 실례지만 이것 좀 도와주시겠어요?

❻ 괜찮으시면 이것 좀 도와주시겠어요?

❼ 미안하지만 이려울 것 같은데요.

❽ 죄송하지만 안 되겠는데요.

❾ 도와 드리고는 싶지만……

❿ 네, 도와 드릴게요.

⓫ 그래, 무슨 일인데?

⓬ 생각해 보고 말씀 드리겠습니다.

부탁	승낙
	거절

02 다음의 표현을 사용하여 대화를 완성하십시오.

-기는요	-느라고	-게	-다니	-게 하다	-는다지요?	-을 건가요?

가 : _____ 어서/아서/여서 죄송해요. 오래 기다리셨어요?
  (기다리다)

나 : _____ . 저도 방금 전에 왔는 걸요.
  (오래 기다리다)

가 : 그런데 오늘 저녁 리에 씨 생일 파티에 _____ ?
                                    (가다)

나 : 아니요, 안 그래도 부탁을 좀 드리려고 했어요. 제가 오늘은 _____
                                                    (회의 준비를 하다)

  바쁘거든요. 이 선물 좀 대신 전해 주시겠어요?

가 : 네, 그렇게 할게요.

나 : 정말 고맙습니다.

03 여러분은 곤란한 부탁을 받은 적이 있습니까? 그 부탁은 어떤 부탁이었습니까? 여러분은 그 부탁을 거절했습니까? 아니면 들어주었습니까? 왜 그랬습니까?

문화

언어 예절: '가는 말이 고와야 오는 말이 곱다.' [CD2:44]

　　한국에는 말과 관련된 속담이 많습니다. 이러한 속담들은 말을 할 때 지켜야 할 예의나, 말과 관련하여 조심해야 할 행동들을 나타내고 있습니다. 예를 들어, '가는 말이 고와야 오는 말도 곱다'는 자기가 먼저 남에게 좋은 말로 잘 대해 주어야 남도 자기에게 잘 대해 준다는 말입니다. 이 말은 우리의 생활 속에서 언어 예절의 중요성을 강조하는 면을 보여 주고 있습니다. 그밖에 말에 관련된 속담으로 '말 한 마디로 천 냥 빚 갚는다'는 말은 말만 잘 하면 어떤 어려움도 해결할 수 있다는 말입니다. '아 다르고 어 다르다' 는 말은 같은 내용의 말이라도 '아'라고 말할 때와 '어'라고 말할 때 그 느낌이나 내용이 달라진다는 말로, 말을 조심해서 하라는 말입니다. 그리고, '입은 비뚤어져도 말은 바로 하라'는 언제든지 말을 정직하게 해야 한다는 말입니다. 한국에서는 그 밖에도 말과 관련된 속담들이 많이 있는데, 이는 우리 조상들이 옛날부터 일상생활 속에서 언어 예절을 매우 중요하게 생각했다는 것을 보여 줍니다.

1. 여러분 나라에서도 위와 같이 말과 관련된 속담이 있습니까? 이야기해 봅시다.

2. 위의 속담 중 하나를 골라 여러분의 경험을 말해 봅시다.

속담 a proverb　**정직하다** to be honest

제10과 어제와 오늘

01 영화를 보러 가곤 했어요

학습 목표 ● 과제 과거 회상하기 ● 문법 –다가도, –곤 하다 ● 어휘 시간 관련 어휘

두 사람은 무슨 이야기를 합니까?
여러분의 과거는 어땠습니까?

● CD2:45~46

추억하다	
to reminisce	

웨이   뭘 그렇게 보세요?

정희   고등학교 때 사진이요. 그때 친구들이 보고 싶어지네요.

웨이   옛날 일을 추억하면 기분이 좋아지지요.

     고등학교 때 정희 씨는 어땠어요?

정희   저는 영화를 참 좋아했었어요.

     공부를 하다가도 갑자기 영화 보러 가곤 했어요.

웨이   그러셨군요. 그래서 정희 씨 집에 유난히 영화 관련 잡지가 많았군요.

정희   말이 나온 김에 우리 같이 영화 보러 갈래요?

추억하다
to reminisce

유난히
especially

관련
relation

말이 나온 김에
speaking of which

01 [보기]에서 적당한 어휘를 골라 빈칸에 쓰십시오.

[보기] 회상   계획   준비   상상   반성   후회   추억   기대

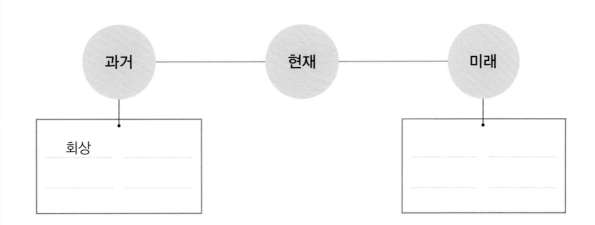

과거 ——— 현재 ——— 미래

회상

02 [보기]에서 알맞은 어휘를 골라 빈칸에 쓰십시오.

[보기]   추억하다   기억하다   깜빡하다
        잊어버리다   외우다

1) 아침에 책상 위에 두었던 숙제 공책을 가져오는 것을 <u>깜빡했다</u> <s>었다/았다/였다</s>.

2) 우리 아버지는 가끔 아버지의 어린 시절을 _____으면서/면서 즐거
워하신다.

3) 10년 전에 같은 반이었던 친구를 길에서 만났는데 그는 나를 _____
지 못했다.

4) 오늘 오후에 치과에 가기로 되어 있었는데 그 약속을 _____었다/
았다/였다.

5) 내일 시험을 잘 보려면 오늘 밤에 이 단어를 모두 _____어야/아야
/여야 한다.

문법 연습

–다가도

01 표를 보고 다음과 같이 문장을 만드십시오.

1)

| 자다 | → | 누가 먹을 것을 가져온다 | → | 일어난다. |

→ 나는 자다가도 누가 먹을 것을 가져오면 일어난다.

2)

| 울다 | → | | → | 웃는다. |

→

3)

| 기분이 좋다 | → | | → | 기분이 나빠진다. |

→

4)

| 기분이 나쁘다 | → | | → | 기분이 좋아진다. |

→

02

-곤 하다

여러분은 다음 상황에서 보통 어떻게 합니까? [보기]에서 알맞은 문장을 골라 '-곤 하다'를 사용해 문장을 만드십시오.

1) 고향에 있을 때 친구를 만나면 보통 뭘 했어요?

> [보기] (영화를 봤어요.)   카페에 가서 이야기했어요.   쇼핑을 하러 갔어요.
>
> 같이 운동을 했어요.   맛있는 음식을 먹으러 갔어요. 기타 _____

→ 고향에 있을 때 친구를 만나면 <u>영화를 보곤 했어요.</u>

2) 어렸을 때 용돈을 받으면 뭘 했어요?

> [보기] 은행에 저금을 했어요.   과자를 사 먹었어요.   장난감을 샀어요.
>
> 책을 샀어요.   쓰지 않고 서랍에 넣어 두었어요.   기타 _____

→ 어렸을 때 용돈을 받으면 _____

3) 한가할 때 뭘 해요?

> [보기] 산책을 해요.   시내 구경을 해요.   친구에게 전화를 해요.
>
> 집에서 혼자 텔레비전을 봐요. 책을 읽어요.   기타 _____

→ 저는 한가할 때 _____

4) 스트레스가 쌓이면 뭘 해요?

> [보기] 잠을 많이 자요.   쇼핑을 해요.   친구에게 전화를 해요.
>
> 많이 먹어요.   술을 마셔요.   기타 _____

→ 저는 스트레스가 쌓이면 _____

5년 전이나 10년 전에 여러분이 가장 좋아하던 것과 가장 싫어하던 것은 무엇이었습니까? [보기]와 같이 쓰고 발표해 봅시다.

내가 좋아하던 것

- ●

내가 싫어하던 것

- ●

[보기]

　5년 전에 저는 고등학교 학생이었어요. 그때 제가 가장 좋아하던 것은 영화였어요.

　지금도 영화를 좋아하지만 그때처럼 자주 보진 않아요. 그때는 좋아하는 영화는 몇 번씩 **보곤 했어요.** 공부를 **하다가도** 혼자서 영화를 보러 극장에 가기도 했었어요.

　제가 그때 가장 싫어하던 것은 엄마의 잔소리였어요. 기분이 **좋다가도** 엄마의 잔소리를 들으면 갑자기 짜증이 났어요. 지금은 혼자 살고 있으니까 엄마의 잔소리가 그리운데, 그때는 왜 그렇게 싫었는지 모르겠어요.

01　대화를 듣고 질문에 답하십시오.

1) 두 사람의 관계에 대해서 맞는 것을 고르십시오. (　　　　)

❶ 두 사람은 오늘 처음 만났다.　　　❷ 같은 고등학교를 다녔다.

❸ 같은 대학을 졸업했다.　　　　　　❹ 호주에서 유학할 때 만났다.

잔소리 nag　　**그립다** to miss

2) 들은 내용과 같으면 ○ 다르면 X표시를 하십시오.

❶ 두 사람은 최근에 몇 번 만났다. (　　　)

❷ 두 사람은 10년 후에 또 만날 것이다. (　　　)

❸ 두 사람은 같이 떡볶이 집에 갈 것이다. (　　　)

❹ 두 사람은 전에 같이 공부하던 때를 그리워하고 있다. (　　　)

02 여러분은 고등학교 시절을 생각하면 무엇이 생각납니까? 다음 표를 채우고 그 시절을 회상해 봅시다. 그리고 [보기]와 같이 그 내용에 대해 이야기해 봅시다.

가장 생각나는 선생님	보고 싶은 친구	생각나는 일	그때의 꿈
• 3학년 때 수학 선생님 – 무섭지만 가끔 하시는 농담이 아주 재미있었다.	• 고 1때 내 짝 – 통통하고 수업 시간에 자주 졸았다. – 맛있는 간식을 많이 싸 왔다.	• 유명 가수의 콘서트에 가려고 오후 수업을 땡땡이쳤던 일 – 선생님께 들켜서 혼이 많이 났다.	• 유명한 가수 – 콘서트에서 본 가수의 모습이 멋있었다.

[보기]

　고등학교 시절을 회상하면 가장 먼저 떠오르는 선생님은 3학년 때 수학 선생님이에요. 선생님께서는 아주 무서우셨는데 가끔 하시는 농담이 너무 웃겨서 우리는 그 선생님의 수업을 기다리곤 했어요. 보고 싶은 친구는 바로 1학년 때의 내 짝이에요. 그 아이는 키가 작고 통통했는데 아주 귀여웠고, 수업 시간에 자주 졸았던 기억이 나요. 그 친구는 늘 맛있는 간식을 많이 싸 와서 우리와 함께 먹곤 했어요. 가장 생각나는 일은 유명 가수의 콘서트에 가려고 오후 수업을 땡땡이쳤던 일이에요. 나중에 담임 선생님께 들켜서 아주 많이 혼이 났지만 그 일은 지금 생각해 보면 즐거운 추억이에요. 그 시절의 나의 꿈은 유명한 가수가 되는 것이었어요. 콘서트에서 노래를 부르는 가수의 모습이 너무 멋있었거든요. 그러나 나는 지금 평범한 회사원이 되었어요.

단짝 친구 a best friend　**통통하다** to be chubby　**땡땡이치다** to skip class
떠오르다 to flash across one's mind　**들키다** to be caught　**평범하다** to be ordinary

Dialogue

Wei What are you looking at?

Jeonghee It's a picture from my high school time. I miss my high school friends.

Wei It feels good to reminisce on memories of the past years, doesn't it? What were you like when you were a high school student?

Jeonghee I really liked movies. Even while studying hard, I used to go to see movies.

Wei I see. So that's why there are many magazines about movies in your house, Jeonghee.

Jeonghee Speaking of which, shall we go to see a movie together?

문법 설명

01 −다가도

It illustrates a sudden change in an action or in a situation. It is attached to verb stems.

- 우울하다가도 여행 생각을 하면 기분이 좋아진다.

Even while being depressed my mood gets better when I think of travelling.

- 그 나라는 여름에는 날씨가 맑다가도 갑자기 비가 온다.

Even while the weather is clear during summer in that country suddenly it starts raining.

- 그 아이는 자다가도 아빠 목소리만 들으면 깬다.

Even while that child is sleeping he/she wakes up when he/she hears his/her father's voice.

- 학생들이 떠들다가도 그 선생님을 보면 조용히 한다.

Even while the students are talking they become silent when they see that teacher.

02 —곤 하다

It is used to show an action which is done as frequently as a habit. It is attached to verb stems.

- 어렸을 때는 시간이 날 때마다 놀이터에 가곤 했다.

  When I was a child I used to go to the playground whenever I had time.

- 예전에는 점심을 먹은 후에 산책을 하곤 했는데, 요즘은 안 한다.

  In the past we used to go for a walk after lunch, but nowadays we are not doing it anymore.

- 학교 수업이 끝나면 도서관에 가서 책을 읽곤 했다.

  I used to go to the library and read books after class.

- 어렸을 때는 매일 자기 전에 옛날 이야기를 듣곤 했다.

  I used to listen to fairy tales every night before I sleep in my childhood.

02 10년 전에는 어땠는데요?

학습 목표 ● 과제 현재와 과거 비교하기 ● 문법 전만 해도 ─는다고 할 수 있다 ● 어휘 비교 관련 어휘

이곳은 예전에 어떤 모습이었을까요?

여러분의 고향은 예전과 지금의 모습이 같습니까?

CD2:48~49

변하다
to change

양쪽
both sides

단층
a one story
building

발전되다
to be
developed

시간이 흐르다
Time passes

정희 여기도 많이 변했어요. 10년 전만 해도 이렇게 큰 건물이 없었는데.

웨이 10년 전에는 어땠는데요?

정희 길 양쪽에 극장이 있었는데, 모두 단층 건물이었지요.

웨이 그때보다 많이 발전되었다는 말인가요?

정희 조금 더 화려해지고 커졌다고 할 수 있지요.

웨이 시간이 흐르면 모든 것은 변하니까요.

어휘

01 [보기]에서 알맞은 어휘를 모두 골라 빈칸에 쓰십시오.

[보기]	발전하다	좋아지다	향상되다
	늘다	변하다	바뀌다

요즘 휴대 전화는
예전보다 기능이
다양해지고 편리해졌어요.

기술이 <u>발전하다</u>

고향에 있을 때는
45kg이었는데 지금은
50kg이에요.

몸무게가 _____

한국에 와서 한국말을
배우면서 한국말을 더
잘하게 되었어요.

한국말 실력이 _____

10년 만에 친구를 만났는데
누구인지 잘 몰랐어요.
키도 크고 더 예뻐졌어요.

친구 모습이 _____

조금 전까지 친구는
슬퍼 보였어요. 지금은
기분이 아주 좋아 보여요.

친구 기분이 _____

전에는 취직을 하고
싶었어요. 지금은 공부를
더 하고 싶어요.

생각이 _____

02 [보기]에서 알맞은 표현을 골라 빈칸에 한 번씩만 쓰십시오.

[보기]	10년 전만 _____	10년 전과 _____	10년 전에 비해 _____
	10년 전보다 _____	10년 전처럼 _____	

1) 현재의 인터넷은 <u>10년 전에 비해</u> 많이 발전했다.

2) 엄마는 _____ 나를 '아기'라고 부르신다.

3) 선생님 모습은 _____ 별로 달라진 것이 없다.

4) 우리 집의 경제 사정은 _____ 나아진 것이 없다.

5) 내 생각에는 요즘 젊은 사람들의 인간관계는 _____ 못한 것 같다.
   젊은 사람들에게서 정을 별로 느낄 수 없다.

문법 연습

전만 해도

01 그림을 보고 다음과 같이 문장을 만드십시오.

①

1시간 전만 해도 지하철 안이 복잡하지 않았는데······.

②

③

④

02

-는다고/ㄴ다고/다고 할 수 있다

질문에 다음과 같이 대답해 보십시오.

1)	여러분 나라는 인구가 많습니까?	1억 명쯤 되니까 많다고 할 수 있어요.
2)	여러분 나라의 풍습은 한국과 비슷합니까?	
3)	여러분은 한국 생활에 익숙해졌습니까?	
4)	여러분은 한국을 살기 좋은 곳이라고 생각하십니까?	
5)	여러분은 비만의 원인이 무엇이라고 생각하십니까?	

과제 1 말하기

다음 표를 채우고 1년 전과 현재의 내 모습을 비교해 [보기]와 같이 이야기해 봅시다.

1년 전	현재
• '가', '나', '다'도 모르다	• 한국말로 어느 정도 이야기할 수 있다
•	•
•	•
•	•

[보기] **1년 전만 해도** '가', '나', '다'도 모르던 내가 한국말로 어느 정도 이야기할 수 있게 됐다.

과제 2 읽고 말하기

01 다음 글을 읽고 질문에 답하십시오.

　　요즘은 세월이 많은 것을 변하게 했다는 생각을 한다. 10년 전만 해도 전화선을 이용한 인터넷은 속도도 느렸고 채팅은 불가능했다. 전자 우편 하나만 가지고 있어도 자부심을 느끼던 시대였다. 하지만 요즘은 초고속 인터넷이 집집마다 들어가고 전자 우편을 쓰지 않는 사람은 별로 없다. 아니 이제는 아무리 멀리 있어도 얼굴을 보면서 음성으로 또는 글로 하고 싶은 말을 주고받는다. 세상이 참 많이 변했다.

　　현대에 많은 것이 좋아졌다고 해도 나는 10년 전이 그리울 때가 있다. 그때는 기다리는 즐거움이 있었다. 휴대 전화가 없어서 상대방의 안부를 바로바로 알지 못해도, 매일 매일 전자 우편으로 상대방의 안부를 알 수 없어도 편지를 기다리는 즐거움이 있었다. 그리고 상대방을 그리워하며 편지를 쓰는 즐거움이 있었다. 이 즐거움은 이제 어디서 찾아야 할까?

1) 이 글의 중심 내용은 무엇입니까? (   )

❶ 인터넷의 발달로 생활이 편리해졌다.

❷ 요즘 전자 메일을 쓰는 사람이 많이 늘었다.

❸ 생활은 편리해졌지만 기다림이 없어 아쉽다.

❹ 요즘은 인터넷을 쓰지 않는 사람이 별로 없다.

2) 이 글의 내용과 같은 것을 고르십시오. (   )

❶ 10년 전에도 속도는 느렸지만 채팅은 할 수 있었다.

❷ 예전 사람들은 전자 우편 쓰는 것에 자부심을 가지고 있었다.

❸ 편지를 쓰는 즐거움은 10년 전이나 요즘이나 별로 다르지 않다.

❹ 10년 전 사람들은 손으로 편지 쓰는 것을 별로 좋아하지 않았다.

02 여러분은 과거로 돌아가고 싶을 때가 있습니까? 표를 채우고 [보기]와 같이 이야기해 봅시다.

	[보기]	나
언제 돌아가고 싶습니까?	중학교 시절	
언제 그런 생각을 하십니까?	겨울/날씨가 추워지면	
과거로 돌아가면 무엇을 하고 싶습니까?	마음껏 썰매를 타고 싶다	

[보기]

　도시에 살고 있는 나는 때때로 중학교 시절로 돌아가고 싶은 생각이 든다. 특히 겨울이면 더욱 그렇다. 중학교 때 나는 시골에 살았다. 겨울이 되면 친구들이 집에서 만든 썰매를 가지고 얼음 위에서 놀았다. 시골이라 얼음이 언 곳이 많아서 어느 곳에서나 썰매를 탈 수 있었다. 지금 사는 곳에서는 썰매를 타려면 마음먹고 썰매장을 찾아야 한다. 중학교 시절로 돌아가면 마음껏 썰매를 타고 놀 것이다.

세월 time　**자부심** pride　**초고속** super-high speed　**아쉽다** to feel the lack of　**예전** the past

Dialogue

Dialogue

Jeonghee   This place has changed a lot. There weren't any high-rise buildings here even 10 years ago.

Wei   What was it like 10 years ago?

Jeonghee   There were many movie theaters on both sides of the street, but they were all only one-story buildings.

Wei   You mean that it has developed a lot more than before?

Jeonghee   You can say it has become bigger and fancier.

Wei   As time passes by everything changes.

문법
설명

01 전만 해도

It is used when the present situation is different to a very recent situation. It is used after time terms.

- 가 : 방금 전만 해도 지갑이 여기 있었는데, 어디 갔지?

    A : The purse was here just a moment ago, but where is it now?

    나 : 가방에 넣은 거 아니야? 다시 잘 찾아 봐.

    B : Is it not in your bag? Try to look for it again!

- 가 : 매운 음식을 좋아하시나 봐요.

    A : It seems like that you like spicy food.

    나 : 3개월 전만 해도 김치도 못 먹었는데 이제 매운 음식도 잘 먹어요.

    B : Only three months ago, I wasn't able to eat Kimchi, but now I can eat spicy food very well.

• 가 : 여긴 정말 많이 변했다. 10년 전 만 해도 시골이었는데…….
  나 : 그래. 너무 복잡해져서 이제는 어디가 어딘지도 잘 모르겠다.

A : It has changed a lot here. Only ten years ago it was a countryside.
B : Yes, you are right. It became so crowded and complicated that I don't know where what is.

• 가 : 그 영화 매진이래.
  나 : 어? 조금 전만 해도 7시 30분 표가 있었는데…….

A : That movie is sold out.
B : What? Just a moment ago there were tickets for the 7:30 pm show.

02 −는다고/ㄴ다고/다고 할 수 있다.

It is used to express a vague statement which can be true but doesn't necessarily need to be true. It is attached to verb stems. Attached to action verbs ending with consonants is '−는다고 할 수 있다' and attached to action verbs ending with vowels is '−ㄴ다고 할 수 있다'. After descriptive verbs the ending '−다고 할 수 있다' follows and after nouns the ending is '−이라고 할 수 있다'. For already finished actions the ending is '−었다고 할 수 있다'.

• 10년을 같이 산 그 친구가 나에게는 가족이라고 할 수 있다.

I can say that I regard this friend as part of our family because I have lived with him/her for ten years.

• 이 책은 3급 학생들에게는 좀 쉽다 고 할 수 있다.

You can say that this book can be too easy for the Level 3 students.

• 한국 사람들은 다른 나라 사람들에 비해 야채를 많이 먹는다고 할 수 있 다.

One can say that Korean people eat more vegetables compared to people from other countries.

• 요즘 초등학교 교과서는 10년 전보다 많이 어려워졌다고 할 수 있다.

One can say that the textbook for elementary school students became more difficult than that the ones from 10 years ago.

03 한국에 오지 않았다면 어땠을까요?

학습 목표 ● 과제 가정 표현하기 ● 문법 −었다면, −었을 것이다. ● 어휘 추측 관련 어휘

두 사람은 무슨 이야기를 합니까?

여러분이 한국에 오지 않았다면 지금 무엇을 하고 있을까요?

어느새
in no time

귀국하다
to return to
one's country

사정
situation

바라다
to want

🔊 CD2:50~51

정희 　시간이 참 빨라요. 어느새 우리가 만난 지 1년이 다 됐네요.

웨이 　벌써 그렇게 됐군요. 여기에 와서 많은 것을 배웠어요.

정희 　언제 귀국하세요?

웨이 　조금 더 여기에 있을 계획이에요. 회사 사정도 있고요.

정희 　웨이 씨가 만약 한국에 오지 않았다면 어땠을까요?

웨이 　아마 결혼을 했을 거예요. 부모님이 많이 바라셨거든요.

어휘

01 [보기]에서 알맞은 어휘를 골라 빈칸에 한 번씩만 쓰십시오.

[보기] 가정하다   상상하다   추측하다   예상하다

나는 학생이다. 그러나 만일 내가 선생님이라고 **가정하면** ~~으면/면~~ 나는 예의 바른 학생들을 좋아할 것이다.

나의 꿈은 멋진 피아니스트가 되는 것이에요. 그때를 _____ 으면/면 기분이 좋아져요.

야구 경기에서 어느 팀이 이길지 _____ 어/아/여 보세요.

사고가 일어난 자리에서 발자국이 있는 것으로 보아 누군가 그곳을 다녀갔다고 _____ 을/ㄹ 수 있다.

02 [보기]에서 알맞은 어휘를 골라 빈칸에 한 번씩만 쓰십시오.

[보기] 사정   결과   경우   상황   상태

1) 이번 사업의 ___결과___ ~~어~~/가 어떨 것이라고 예상하십니까?
2) 만일 이 실험이 실패했을 _____ 을/를 가정해 봅시다.
3) 최근에 갑자기 그 환자의 건강 _____ 이/가 나빠졌다.
4) 그 사람은 집안 _____ 이/가 어려워서 대학에 진학하지 못 했다.
5) 생존자가 없기 때문에 사고 당시의 _____ 은/는 추측할 수밖에 없다.

문법 연습

-었을/았을/였을 것이다

01 웨이는 몸이 아픈데도 회사 일 때문에 출장을 갔습니다. 다음은 웨이를 걱정하는 리에와 마리아의 대화입니다. 대화를 완성하십시오.

리에 : 웨이 씨가 잘 도착했을까?

마리아 : 잘 도착했을 거야. _____

리에 : 아픈데 약은 먹었을까?

마리아 : 약을 가지고 갔으니까 _____

리에 : 회의 준비는 다 했을까?

마리에 : 웨이 씨는 성격이 꼼꼼하니까 _____

리에 : 웨이 씨가 괜찮은지 한번 전화해 볼까?

마리아 : 지금 거기는 새벽이니까 지금 자고 있을 거야.

리에 : 그래? 거기는 벌써 새벽이야? 저녁 식사는 했겠지?

마리아 : 걱정하지 마. _____

리에 : 그런데 내가 갖고 싶다고 한 선물은 샀을까?

마리아 : _____

리에 : 내일 아침에는 꼭 전화해 봐야겠다.

마리에 : 그래, 그렇게 하자.

−었다면/았다면/였다면

02

다음은 마리아 씨의 일기입니다. 밑줄 친 부분에서의 마리아의 생각을 '−었다면'을 사용하여 다음과 같이 쓰십시오.

오늘은 엘레나를 만나서 발레를 보러 갔다. 그런데 또 늦어서 엘레나를 기다리게 했다. 1) 지하철을 탈까 하다가 시간이 넉넉해서 버스를 탔는데 사고가 났는지 차가 너무 밀려서 약속 시간이 지나 버렸다. 엘레나가 너무 오래 기다릴 것 같아서 내려서 택시를 탔다. 2) 다행히 운전사 아저씨가 지름길을 아셔서 많이 늦지 않았다. 내가 늦었는데도 엘레나는 웃으면서 괜찮다고 했다. 역시 착한 엘레나!

러시아에 있었을 때 엘레나는 우리 학교에서 가장 발레를 잘 하는 학생이었다. 3) 나는 엘레나가 발레리나가 될 거라고 생각했다. 그런데 왜 발레를 그만두었을까? 발레보다 동양 문화를 더 좋아해서일까? 사실 내가 한국말을 공부하고 있는 것도 엘레나 덕분이다. 4) 처음에 나는 한국에 대해 관심이 하나도 없었는데, 동양에 관심이 많은 엘레나한테 여러 가지 이야기를 들으면서 관심이 생겼다. 둘 다 한국에 있는데도 바빠서 자주 만나지 못하는 것이 안타깝다.

1) 버스를 타지 않았다면 약속 시간에 늦지 않았을 거예요.

2) ....

3) ....

4) ....

과제 1 　말하기

고등학교 때 하고 싶었지만 하지 않았거나 하지 못한 일이 있습니까? 다음 표에 여러분이 하고 싶었던 일 세 가지를 써 보십시오. 그리고 그 일을 했다면 어떻게 되었을지 생각해 보고 [보기]와 같이 이야기해 봅시다.

	내가 고등학교 때 하고 싶었던 일	그 일을 했다면 지금은 어떻게 되었을까?
1)	그림을 그리는 것	그림을 계속 그렸다면 화가가 됐을 거예요.
2)		
3)		
4)		

[보기]

　저는 지금 유치원 선생님인데 원래 제 꿈은 화가였어요. 사실 대학교에서도 미술을 전공하려고 했지만 대학 입학시험에 떨어지고 말았어요. 실망도 했고 자신이 없어지기도 해서 그때부터 그림 그리는 것을 그만두었어요. 사실 아이들도 좋아해서 지금 유치원 선생님을 하는 것에 만족하고 있지만 그때 그림 그리는 것을 **포기하지 않았다면** 지금 정말 유명한 화가가 **됐을 거라는** 생각을 하곤 해요.

실망하다 to be disappointed　**만족하다** to be satisfied

01　대화를 듣고 질문에 답하십시오.

1) 무엇에 대한 이야기입니까? 쓰십시오.

2) 들은 내용과 같으면 ○ 다르면 X표시를 하십시오.

❶ 이 사람은 대통령의 아들이나 딸로 태어나고 싶어한다. 　　　　　(　　　)

❷ 이 사람은 지금부터 5천 년 전에 태어났기를 바라고 있다. 　　　(　　　)

❸ 이 사람은 천재로 태어났다면 생활이 더 편해졌을 것이라고 생각한다. (　　　)

❹ 이 사람은 지금 상태로도 충분히 행복할 수 있다고 생각한다. 　　(　　　)

02　반 친구들에게 [보기]의 내용에 대해 질문한 후 표를 채우고 그 내용을 발표해 봅시다.

만약	어떻게 되었을까요?		
	나	친구 1	친구 2
한국에 오지 않았다면	결혼했을 것이다.	다른 나라로 유학을 갔을 것이다.	취직했을 것이다.
나에게 10억이 생겼다면			
내가 유명한 스타가 되었다면			

[보기]

　　제가 만약 한국에 오지 않았다면 지금쯤 우리나라에서 대학을 졸업하고 결혼했을 것입니다. 리에 씨는 만약에 한국에 오지 않았다면 지금쯤 다른 나라로 유학을 갔을 것이라고 합니다. 마리아 씨는 만약에 한국에 오지 않았다면 지금쯤 취직했을 것이라고 합니다.

대통령 the President　**태어나다** to be born　**천재** a genius　**이루다** to accomplish　**결과적으로** consequently

Dialogue

Jeonghee	Time flies. In no time, it's been almost one year since we met.
Wei	It's been this long already. I've learned a lot here.
Jeonghee	When are you returning to your country?
Wei	I am planning to stay here a little longer. There is also a company situation.
Jeonghee	What would have happened if you didn't come to Korea?
Wei	Maybe I would have gotten married. My parents really wanted me to get married.

문법 설명

01 -었을/았을/였을 것이다

This expression is used when one gives assumption about an already finished action or situation. It is attached to verb stems. For all action verbs or descriptive verbs ending with a vowel except of '아,야,오' the attached ending is '-었을 거예요' and for action verbs and descriptive verbs ending with '아, 야, 오' the attached ending is '-았을 거예요'. For action verbs ending with '하다' the attached ending is '-였을 거예요'.

- 가 : 제임스 씨가 오늘 수업 시간 에 졸던데……. | A: James dozed during today's class.

  나 : 어제 일 때문에 밤을 새워서 많이 피곤했을 거예요. | B: He must have been tired because he did not sleep at all last night due to work.

- 가 : 웨이 씨는 아까 우리랑 같이 점심 먹었는데 또 식당에 가던 데요. | A: Wei went to a restaurant again even though he just had lunch with us.

나 : 그 식당 음식이 웨이 씨한테는
　　 좀 적었을 거예요.

B : The portion of the food from that
restaurant must have been not enough
for Wei.

● 가 : 미선 씨가 학교에 있을까요?

A : Would Miseon still be at school?

나 : 글쎄요, 수업이 끝났으니까
　　 아마 집에 갔을 거예요.

B : Well, I think she went home since the
class ended already.

● 가 : 지금쯤 도착했겠지요?

A : Do you think they arrived by now?

나 : 네, 일찍 출발했으니까 벌써
　　 도착했을 거예요.

B : Yes, they left early so they must have
arrived by now.

It is also used when one assumes the following result after hypothesizing a fact.

● 고등학교 때 열심히 공부했다면
어머님이 좋아하셨을 거예요.

Your mother would have been happy had
you studied hard in high school.

● 젊었을 때 술을 덜 마셨더라면 암에
걸리지 않았을 거예요.

You wouldn't have cancer if you had drunk
less alcohol when you were younger.

02 -었다면/았다면/였다면

It is used to assume an action in the past which didn't happen.
It is attached to verb stems. For all action verbs or descriptive verbs ending with a
vowel except of '아,야,오' the attached ending is '-었다면' and for action verbs
and descriptive verbs ending with '아, 야, 오' the attached ending is '-았다면'. For
action verbs ending with '하다' '-였다면' is used.

● 키가 컸다면 모델이 되었을 것이다.

If she had been taller, she could have
become a model.

● 날씨가 좋았다면 한라산에도 올라갔
을 것이다.

If the weather had been nicer, we could
have climbed up Mt. Halla.

● 한국말 공부를 좀 더 일찍 시작했다
면 지금은 어학당을 졸업했을 텐데.

If I had started studying Korean earlier,
I would have graduated from the
Language Institute by now.

● 그 사람을 만나지 않았다면 어떻게
되었을까?

What would have happened if I hadn't met
that person?

04 집안일은 물론 아이를 돌보기까지 한대요

학습 목표 ● 과제 미래 예측하기 ● 문법 −듯이, 은 물론 ● 어휘 미래 생활 관련 어휘

두 사람은 지금 무슨 이야기를 합니까?
미래는 어떤 세상일까요?

드디어
finally

새롭다
new

가사
household

판매되다
to be on sale

완벽하다
to be perfect

기능
function

🔊 CD2:53~54

제임스 신문 보셨어요? 드디어 새로운 가사 로봇이 판매된다고 해요.

리에 그래요? 무슨 일을 하는 로봇인데요?

제임스 집안일은 물론 아이를 돌보기까지 한대요.

리에 그래도 로봇이 하는 일이 사람이 하는 것만 할까요?

제임스 사람이 하듯이 아주 완벽하게 잘 한답니다.

리에 그런 다양한 기능을 가진 로봇이 나오다니, 세상 참 좋아졌어요.

어휘

01 [보기]에서 알맞은 어휘를 골라 빈칸에 쓰십시오.

[보기] 신기술   신형   신기록   신제품   신상품

❶

물건을 더욱 쓰기 편하게 하기 위해 새로 만든 기능이나 기술을 말해요.

신기술

❷

물건의 모양이 새롭게 바뀌었어요.

❸

운동 경기에서 다른 선수들이 내지 못한 좋은 성적을 냈어요.

❹

이번에 처음 만들어진 물건이에요. 전에 쓰던 물건이나 전에 보던 물건이 아니에요.

02 [보기]에서 알맞은 어휘를 골라 빈칸에 쓰십시오.

[보기] 나오다   발표되다   나타나다   밝혀지다   알려지다   발견되다

1) 이번에 신제품이 시중에 __나왔어요__ 었어요/았어요/였어요.

2) 드디어 10년 동안의 연구 결과가 신문에 _____었어요/았어요/였어요.

3) 100년 전에 사람들이 쓰던 물건이 _____었어요/았어요/였어요.

4) 갑자기 이상한 동물이 집 앞에 _____었어요/았어요/였어요.

5) 이번 사건의 범인이 누구인지 _____었어요/았어요/였어요.

문법 연습

01

-듯이

다음 그림을 보고 문장을 만드십시오.

 ①

가뭄에 콩 나듯이 하다.

 ②

돈을 _____ 쓴다.

 ③

땀을 _____ 흘린다.

 ④

그 남자는 _____ 교실로
들어왔다.

|은/는 물론|

02

다음 그림을 보고 문장을 만드십시오.

❶

월드컵 경기로 유럽은 물론 한국도 축제 분위기입니다.

❷

생일 파티에 ＿＿＿＿＿＿＿＿＿＿＿＿ 선생님도 초대되었다.

❸

아이가 부끄러워서 ＿＿＿＿＿＿＿＿＿＿＿＿

❹

우리 아들은 ＿＿＿＿＿＿＿＿＿＿＿＿

과제 1 　말하기

여러분은 미래에 어떤 모습일까요? 다음 표를 채우고 미래의 내 모습에 대해 이야기해 봅시다.

현재의 내 모습	미래의 내 모습
• 한국어를 배우고 있다.	• 일본어, 중국어도 잘 할 수 있다.
• _____	• _____
• _____	• _____
• _____	• _____
• _____	• _____

• **한국어는 물론** 일본어, 중국어까지 잘 할 수 있을 거예요.

• _____

• _____

• _____

• _____

과제 2 　읽고 말하기

01 다음 글을 읽고 질문에 답하십시오.

2130년 10월 1일 한 회사가 강아지의 모습을 한 고양이를 생산한다고 발표했다. 이로써 단순히 강아지의 종류와 색을 주문하던 시대에서 강아지의 성격까지 선택할 수 있는 시대가 되었다. 관계자에 따르면 이 애완동물은 강아지의 큰 눈과 고양이의 성격을 원하던 한 소비자의 요구에 맞춰 생산된 것이라고 한다. 이 소비자는 평소 강아지의 모습은 마음에 들었지만 강아지의 아이같은 성격은 별로 좋아하지 않았기 때문에 이러한 애완동물을 주문하게 된 것이다.

이 회사는 앞으로 이 애완동물의 이름을 만들어 줄 계획이다. 관심 있는 사람들은 이 회사의 홈페이지에 들어가 이름을 응모하면 선물을 받을 수 있다고 한다.

1) 새로 생산되는 애완동물의 특징으로 맞는 것을 고르십시오. (　　　)

❶ 고양이 모습에 강아지의 성격을 가진 동물이다.
❷ 개와 고양이가 부부가 되어 만들어진 동물이다.
❸ 주문자가 주문한 모양과 색에 따라 만든 강아지이다.
❹ 주문자의 취향에 따라 모습과 성격을 다르게 만든 새로운 동물이다.

2) 여러분은 위의 애완동물을 기르시겠습니까? 만일 그렇다면 왜 그렇습니까?

3) 여러분은 위의 애완동물의 이름을 어떻게 지으시겠습니까?

4) 여러분은 위와 같은 일이 일어날 것이라고 생각하십니까?

02 여러분은 현재의 생활에 만족하십니까? 바꾸고 싶은 것이 있다면 그것은 무엇입니까? 표를 채우고 [보기]와 같이 이야기해 봅시다.

	[보기]	나
무엇을 바꾸고 싶습니까?	강아지	
어떻게 바꾸고 싶습니까?	고양이의 성격으로	
이유는 무엇입니까?	혼자 놀기도 하고 부르면 옆에 가만히 앉아 있는 고양이의 성격이 좋아서	

[보기]

　나는 강아지의 성격을 바꾸고 싶다. 강아지의 크고 착해 보이는 눈은 마음에 들지만 아이 같은 성격은 마음에 들지 않는다. 나는 고양이의 성격이 좋다. 혼자 놀기도 하고 부르면 옆에 가만히 앉아 있는 성격이 참 좋다. 그렇지만 고양이의 눈이 무서워서 고양이를 키우고 싶지 않다. 강아지의 성격을 고양이처럼 바꾸고 싶다.

단순히 simply　　**관계자** the person concerned　　**소비자** a consumer　　**요구** a demand　　**응모하다** to apply for

Dialogue

James Have you read the newspaper? Finally they will sell a new robot for household.

Rie Really? What kind of work does the new robot do?

James Not only does it do the household, but it also looks after the children.

Rie But do you think the work of a robot is as good as the work of a human?

James They say that the robot works like a human, really perfectly.

Rie The world has become a lot better, now that a robot with various function has came out.

문법 설명

01 –듯이

It is used when the action in the second clause is done like the prior action or when the same situation is followed after the previous situation. It is attached to verb stems.

- 사람마다 생김새가 다르듯이 생각도 다르다.
  As every person looks different their thoughts are also different.
- 누구나 그렇듯이 나도 다른 사람에게 피해를 주는 일은 하고 싶지 않다.
  As is everyone, I do not want to cause harm to anyone.
- 그 남자는 춤을 추듯이 교실로 걸어 들어왔다.
  That man walked into the classroom as if he were dancing.
- 그 말을 듣고는 미워하던 마음이 눈 녹듯이 사라졌다.
  When I heard what she was saying my hatred melted like snow in the sun.

02 은/는 물론

It is used to express that not only the prior clause, but also the later clause is valid. It is attached to nouns.

- 유럽은 물론 아시아의 각국도 축제 분위기이다.

  Not only Europe but also every country in Asia is in a celebrating mood.

- 고등학교 때 내가 얼마나 유명했는지 동네나 학교는 물론 시내에서도 나를 모르는 사람이 없었다.

  I was so well-known during my high school that not only everybody in my neighborhood and school but also those in the city recognized me.

- 아이는 부끄러운지 얼굴은 물론 손까지 빨개졌다.

  The child was so shy that not only did her face blush but her hands also became red.

- 가 : 리에 씨는 한국어를 참 잘해요.

  A : Rie is very good at English.

  나 : 리에 씨는 한국어는 물론 영어도 꽤 잘해요.

  B : She is good at not only Korean but also English.

- 가 : 토요일인데 일하러 가세요?

  A : Today is Saturday, but do you still have to go to work?

  나 : 요즘 일이 밀려서 토요일은 물론 일요일에도 일을 해야 끝낼 수 있어요.

  B : The work has piled up. Therefore, I have to work not only on Saturday but also on Sunday to finish.

05 정리해 봅시다

01 [보기]에서 알맞은 어휘를 골라 빈칸에 쓰십시오.

[보기]	과거	현재	미래	
	가정하다	상상하다	추측하다	예상하다
	높아지다	향상되다	바뀌다	달라지다
	신기술	신형	신기록	신제품

　선생님께서 오늘 '＿＿＿＿＿＿＿＿의 내 모습'에 대해 글을 써 오라고 하셨다. 책상에 앉아 7년 후의 내 모습을 ＿＿＿＿＿＿＿어/아/여 봤다.

　나는 유명한 높이뛰기 선수가 되어 있을 것이다. 열심히 연습해서 하루하루 실력이 ＿＿＿＿＿＿＿을/ㄹ 것이다. 그리고 어느 날 세계 ＿＿＿＿＿＿＿을/를 세우면 온 세상 사람들이 내 이름을 알게 될 것이다.

　이런 생각만으로도 오늘은 너무 행복하다.

02 다음 표현을 사용하여 이야기를 완성하십시오.

-다가도	-곤 하다	전만 해도	-는다고 할 수 있다
-었을 것이다	-었다면	-듯이	은 물론

10년 ＿＿＿＿＿＿＿ 나는 한국말을 한마디도 못 했다. 우연히 한국 영화를 보게 된 후에

한국에서 한국어를 공부하기 시작했다. 공부를 ＿＿＿＿＿＿＿ 틈만 나면 영화를
　　　　　　　　　　　　　　　　　　　　　　　(하다)

＿＿＿＿＿＿＿었는데/았는데/였는데 지금 생각해 보니 영화가 ＿＿＿＿＿＿＿
(보러 가다)　　　　　　　　　　　　　　　　　　　　　　　　　　　　(없다)

지금의 나는 ＿＿＿＿＿＿＿. 한국 영화가 ＿＿＿＿＿＿＿.
　　　　(없다)　　　　　　　　　　　(내 한국어 선생이었다)

03 10년 후의 여러분의 생활은 어떻게 달라져 있을까요? 이야기해 봅시다.

문화

한강의 과거와 현재 [CD2:55]

대한민국의 수도 서울에는 도시의 한가운데를 흐르는 한강이 있습니다. 강북과 강남이라는 말을 들어보셨지요? 한강을 중심으로 서울을 둘로 나눌 수 있는데 강의 북쪽 지역을 강북, 강의 남쪽 지역을 강남이라고 부릅니다. 한강은 서울뿐 아니라 대한민국을 대표하는 강으로, 한국이 경제 발전을 이루었을 때 '한강의 기적'이라는 말이 생겨났을 정도입니다.

한강은 옛날부터 중요한 역할을 해 왔습니다. 한강은 강원도와 충청도까지 연결되어 있어서 도로가 발달되어 있지 않았던 조선 시대에는 한강이 교통의 중심이었습니다. 현재의 한강은 교통의 요지이며 문화의 중심지입니다. 총 25개의 한강 다리가 건설되어 한강의 남과 북을 연결하고 있습니다. 그리고 강가에는 숲과 공원, 자전거를 위한 도로도 있어서 서울 시민들이 여가를 즐기는 장소가 되기도 합니다.

[서울의 한강 다리]

김포대교 – 행주대교 – 방화대교 – 가양대교 – 성산대교 – 당산철도교 – 양화대교 – 서강대교 – 마포대교 – 원효대교 – 한강대교 – 한강철도교 – 동작대교 – 잠수교 – 반포대교 – 한남대교 – 동호대교 – 성수대교 – 영동대교 – 잠실대교 – 잠실철도교 – 올림픽대교 – 천호대교 – 광진교

1. 여러분 나라의 과거와 현재에 대해 이야기해 봅시다.

2. 50년 후의 한강의 모습은 어떻게 달라질까요? 상상하여 이야기해 봅시다.

수도 a capital **한가운데** in the middle **대표하다** representation **기적** a miracle **요지** an important place **중심지** a center

듣기 지문

듣기 지문

6과 1항 과제 2 [CD2:03]

제임스   우리 회사 과장님의 아기 돌잔치에 초대 받았는데 무엇을 사 가지고 가면
         좋을까요?

미선   글쎄요. 아기 옷이나 신발 같이 아기한테 필요한 물건은 어떨까요?

제임스   그런데 아기 엄마의 취향도 잘 모르고 해서.

미선   그럼 금반지는 어때요?
         조금 비싸긴 하지만 한국 사람들이 아기 돌에 많이 선물하거든요.

제임스   그래요? 그럼 반지가 좋겠어요.
         그런데, 돌잔치에 가서 뭐라고 인사해야 해요?

미선   아기를 보고 '참 잘 생겼다'라든가 '참 예쁘다'고 말하고 '건강하게 자라라'고
         하면 돼요.

제임스   부모님들에게는 뭐라고 인사해요?

미선   축하합니다'라고 말하고 아기에 대해 좋은 이야기를 하면 될 것 같은데요.

제임스   그렇군요. 미선 씨 덕분에 잘 갔다 올 수 있을 것 같아요.
         저는 혹시 실수나 하지 않을까 해서 걱정하고 있었거든요.

6과 3항 과제 2 [CD2:08]

선배   제임스, 오늘 저녁 여섯 시에 신입생 환영회 있는 거 알지?

제임스   네, 선배님. 그런데 장소는 어디예요?

선배   신촌에 있는 연세 돼지 갈비집인데 백화점 뒷골목에 있어.

제임스   그런데 선배님, 한국의 신입생 환영회에서는 뭘 해요?

선배   신입생 소개도 하고, 선배들 이야기도 듣고, 뭐, 맛있는 음식도 먹고, 술도
         마시고……. 일단 와서 경험해 봐. 재미있을 거야.

제임스   저희들이 뭐 준비 할 거 없어요?

선배   선배들이 다 알아서 준비할 테니까 오기만 해.

제임스   정말요? 야, 오늘 정말 기대되는데요.

선배   대학원 선배들하고 졸업한 선배들도 모두 오시니까 늦지 말고 와야 한다.

제임스   네, 알았어요.

선배   아, 그리고 환영회 뒤에 노래방에도 갈 거니까 뒤에 다른 약속 잡지 말고.

제임스   알겠어요. 그럼 이따 뵐게요.

7과 1항 과제 2 [CD2:14]

미선   어머 리에 씨, 어떡하죠?

리에   왜요?

미선   리에 씨가 부탁한 김밥을 사 왔는데요. 참치 김밥을 산다는 것이 그만 김치
          김밥을 사 왔어요. 잠깐만 기다릴래요? 제가 다시 바꿔 올게요.

리에   아니에요, 미선 씨. 괜찮아요. 김치 김밥도 좋아요.

미선   그렇지만 리에 씨는 매운 것을 싫어하지 않아요?

리에   김치 김밥 정도는 먹을 수 있어요. 자, 같이 먹어요.

미선   아, 난 요즘 왜 이렇게 실수를 잘 할까?
          중요한 약속도 깜빡깜빡 잘 잊어버리고…….

리에   저도 그래요. 요즘 일이 바빠서 더 그런 것 같아요.
          음, 김밥 정말 맛있네요. 어서 드세요.

미선   네, 리에 씨. 미안해요. 다음에는 꼭 제대로 사 올게요.

7과 3항 과제 2 [CD2:19]

남자   리에 씨, 어제 일은 정말 미안했어요. 사과할게요.

리에   아이, 뭐, 별일도 아닌데요. 신경 쓰지 마세요.

남자   그래도 제가 갑자기 그런 말을 해서 당황하셨죠?

리에   조금은 그랬지만 괜찮아요. 이해할 수 있어요.

남자   나쁜 뜻으로 그런 것은 아니니까 넓은 마음으로 봐 주세요. 알았죠?
          그 대신 제가 오늘 맛있는 점심 살게요.

리에   그렇게 아무 일도 아닌 것 가지고 점심을 사고 그래요? 그냥 잊어버리세요.

남자   아니에요. 이런 기회에 리에 씨와 같이 이야기할 수 있게 되어서 오히려 더 잘
          됐어요. 자, 어디로 갈까요?

YONSEI KOREAN 3

8과 1항 과제 2 [CD2:25]

제임스 다음 주말에 우리 동아리 회원들끼리 야유회를 가려고 하는데요.
        어디로 가는 것이 좋을까요?

여자   어떤 행사를 할 것인가에 따라 장소를 정해야 할 것 같아요.

제임스 음, 오랜만에 갖는 모임이니 장기 자랑 같은 재미있는 행사가 있으면 좋겠어요.

여자   그럼, 남이섬 어때요? 너무 멀지도 않고, 또 근처에 맛있는 식당도 많고.

제임스 아, 거기가 좋겠네요. 그럼 좀 더 구체적인 일정을 짜 보도록 할까요?

여자   아침 여덟 시에 학교 앞에서 출발하면 열 시쯤 남이섬에 도착할 거예요.
        두 시간 정도 산책을 한 다음 점심식사를 하고 그 다음에 장기 자랑을 합시다.

제임스 그런데 그런 행사를 할 만한 장소가 있을까요?

여자   제가 좀 알아볼게요. 아참, 장기 자랑 사회는 누가 보지요?

제임스 그런 일은 미선 씨가 잘 하니까 미선 씨한테 맡기는 게 어때요?

여자   좋아요. 우리는 행사 준비와 정리를 맡고 진행은 미선 씨가 하고.
        이렇게 일을 나누면 되겠네요.

8과 4항 과제 2 [CD2:32]

제임스 요코 씨, 학교를 졸업한 후에 뭐 할 거예요?

요코   저는 회사에 취직을 하려고 해요. 제임스 씨는요?

제임스 저는 대학원에 진학해서 공부를 계속 할까 해요. 그런데 혹시 한국에서는 어느
        대학교가 한국학으로 유명한지 알아요?

요코   글쎄요. 저도 잘 모르겠는데요.
        그런 문제라면 학교 상담 선생님께 한번 여쭤 보시는 것이 어때요? 학교 상담
        실에 진학에 대한 자료가 많이 있을 거예요.

제임스 맞다. 그러면 되겠네요.
        그런데 상담실은 어떻게 이용해요? 한 번도 가 보지 않아서……

요코   먼저 학교 상담실에 상담 신청을 해 놓고 약속한 날짜에 상담실에 가서 선생님
        을 만나면 돼요.

제임스 상담 신청은 어떻게 해요?

요코   학교 상담실 앞에 가면 신청 용지가 있을 거예요. 거기에 상담할 내용을 쓰고
        상담실에 내면 돼요.
제임스 아, 그런 좋은 방법이 있었군요. 당장 신청해야겠어요. 알려 줘서 고마워요.

9과 1항 과제 2 [CD2:36]

마리아 제임스, 어디 가?
제임스 응, 도서관에 가는 길이야. 지난번에 빌린 책을 반납하려고.
마리아 그래? 나도 도서관에 가는 길이었는데. 그럼, 미안하지만 혹시 내 책도 좀 반
        납해 줄 수 있어? 나도 지금 책을 반납하러 가는 길이었거든.
제임스 그래. 이 책만 반납하면 돼?
마리아 응, 그래. 고마워. 난 이제 시내에 갈 건데 뭐 부탁할 거 없니?
제임스 시내 어디?
마리아 명동 백화점에.
제임스 그럼 음악 시디(CD) 한 장만 사다 줄래?
마리아 그래. 무슨 시디(CD)인데?
제임스 이승재의 새로 나온 시디(CD).
마리아 아, 그거, 나도 들어 봤는데 진짜 좋더라. 알았어. 사다 줄게.
제임스 고마워. 역시 친구밖에 없다니까. 여기 돈 있어. 한 만 원쯤이면 될 거야.
마리아 아니야. 돈은 나중에 줘. 내가 카드로 한꺼번에 계산할게.
제임스 그럴래? 알았어. 그럼, 돈은 내일 학교에서 줄게. 고마워.

듣기 지문

9과 3항 과제 2 [CD2:41]

남자	어제 거절하는 방법에 관한 책을 읽었어요.
여자	그래요? 재미있었겠는데요.
남자	네, 평소에 거절하는 것이 어려워서 부탁을 들어주겠다고 하고 고민하는 경우가 많았거든요.
여자	저도 좀 그런 편이에요. 좋은 방법 좀 가르쳐 주세요.
남자	먼저, 착한 사람 콤플렉스에서 벗어나는 것이 중요하대요.
여자	착한 사람 콤플렉스라니요?
남자	'아니요'라고 말하고 싶지만 이기적인 사람으로 보일까 봐 '네'라고 대답한다면 착한 사람 콤플렉스에 빠진 거래요. 할 수 없는 일을 적당히 거절하는 것이 착하다는 칭찬을 받는 것보다 중요하다고 해요.
여자	그런 것 같네요. 또 다른 방법은요?
남자	자신의 한계를 먼저 파악하는 것이 중요하대요. 부탁 받는 순간에는 승낙하는 것이 편하게 생각될지도 모르지요. 그러나 자신의 일을 미리 생각하지 않고 약속해 놓고는 일을 잘 끝내지 못해 쩔쩔매면 더욱 곤란해지잖아요.
여자	듣고 보니 다 맞는 말이네요.

10과 1항 과제 2 [CD2:47]

여자1	야, 정말 오랜만이다. 이게 몇 년 만이지?
여자2	고등학교 졸업하고 처음이니까 한 10년쯤 됐나 보다.
여자1	그래, 정말 반갑다. 그동안 어떻게 지냈어?
여자2	응. 나는 한 3년 동안 호주에 유학 갔다 왔어. 너는?
여자1	난 대학 졸업 후에 무역 회사에 취직했어.
여자2	그랬구나. 우리 고등학교 때는 단짝 친구였는데. 매일 같이 공부도 하고 밥도 같이 먹고 놀기도 하고.
여자1	맞아. 어쩌다 보니 이렇게 시간이 흘렀구나. 아, 그 때 우리가 자주 가던 그 떡볶이 집 아직도 있는지 모르겠다.
여자2	그래. 아주 맛있었는데. 우리 그 집에 같이 가 볼까? 어때?

여자1   좋아. 그 집 아주머니 진짜 친절하시고 떡볶이도 많이 주셨는데.

여자2   맞아. 그 시절이 그립다. 그때는 아무런 걱정도 없고 언제나 즐거웠던 것 같아. 아, 다시 그 시절로 돌아가고 싶다.

여자1   나도 그래.

10과 3항 과제 2 [CD2:52]

만약에 여러분이 대통령의 아들이나 딸로 태어났다면 어땠을까요? 여러분의 생활이나 계획이 어떻게 달라졌을까요? 여러분은 지금의 생활보다 그 생활을 더 사랑할까요? 만약에 여러분이 지금부터 5천 년 전에 태어났다면 어땠을까요? 만약에 여러분이 지금까지 살아오는 동안 가장 후회하고 있는 일을 하지 않았다면 어땠을까요? 만약에 말입니다.

우리는 이렇게 우리의 현재나 과거의 상태와는 다른 어떤 상황을 가정해 볼 수 있습니다. 저는 가끔 만약에 내가 천재로 태어났다면 어땠을까를 상상하곤 합니다. 그러면 제 생활이 더 편해졌을까요? 제가 원하는 많은 일들을 더 만족스럽게 이루었을까요? 결과적으로 지금보다 더 행복한 생활을 할 수 있었을까요? 그런데 이에 대한 대답은 '아니다'입니다.

우리의 생활을 행복하게 이끄는 것은 내가 천재로 태어나거나 내가 대통령의 아들로 태어나는 것이 아니라고 생각합니다. 나는 지금의 나로서도 충분히 행복할 수 있습니다. 왜냐하면 나에게 행복을 주는 것은 바로 지금 현재의 나 자신이기 때문입니다.

YONSEI KOREAN 3

색인 - 문법 색인
- 어휘 색인

문법색인

어휘 색인